SACRAMENTO PUBLIC LIBRARY
828 "I" STREET
SACRAMENTO, CA 95814

04/2019

WITHDRAWN F
OF SACRAMEN

Ольга Савельева
Активная мама, популярный блогер, нескучный чиновник, мотивирующий лектор

Апельсинки

Честная история одного взросления

Москва 2017

УДК 821.161.1-94
ББК 84(2Рос=Рус)6-44
С12

Савельева, Ольга Александровна.

С12 Апельсинки. Честная история одного взросления / Ольга Савельева. — Москва : Издательство «Э», 2017. — 224 с. : ил. — (Записки российских блогеров).

«От осинки не родятся апельсинки» — согласны ли вы с этим утверждением? У автора этой книги, Ольги Савельевой, есть своя точка зрения на этот счет.

На первый взгляд это просто коллекция рассказов. Они все самостоятельные и автономные, в том смысле что можно читать с любого места.

Но на самом деле это не просто рассказы. Каждый из них — ступенька.

И все эти ступеньки ведут из детства во взрослую жизнь.

Это целая лестница жизни одной маленькой девочки, которая вырастет во взрослую женщину на глазах у читателей.

Пробежите ли вы по этой лестнице вприпрыжку или пройдете вдумчиво, вместе с автором, взрослея с каждым шагом, останавливаясь на лестничной клетке, чтобы осознать и переварить прочитанное, — это, конечно, решать вам. Но одно можно сказать наверняка — эта история жизни точно не оставит вас равнодушным и обязательно отзовется в сердце.

УДК 821.161.1-94
ББК 84(2Рос=Рус)6-44

© Савельева О.А., текст, 2017
© Алейникова А.С., иллюстрации, 2017
© Оформление. ООО «Издательство «Э», 2017

ISBN 978-5-699-95735-4

Содержание

Введение

Когда я только начинала писать эту книгу, то еще не видела конечного результата, поэтому сама не ожидала, что книга получится такая. Хотела просто создать каскад интересных, цепляющих рассказов, пожонглировать стилями и сюжетными линиями, стилистически пококетничать, показать, как хорошо я владею словом.

Мне хотелось, чтобы читатель открыл книгу в любом месте, прочитал пару случайных рассказов и сидел, потрясенный полученным послевкусием, а внутри бы у него крутилась мысль: «Невероятно... Как она это делает?»

Вот такого я добивалась эффекта.

Осталось понять, о чем должны быть эти рассказы. К тому моменту я была уже популярным блогером: писала о жизни, работе, семье и детях. Чукчила. Этот процесс я называю глаголом «ЧУКЧИТЬ», в смысле что вижу, то пою.

Вот я что видела, то и пела.

Однажды я написала рассказ про маму. В нем было много обжигающей откровенности и мало благодарности. Любви почти не было, точнее, она была запрятана в злость от того, что мама совершенно не оправдывает моих ожиданий. Мама — она же должна быть добрая, мудрая, печь пирожки и пахнуть молоком.

У меня так не было. Никогда.

Мы с мамой всегда жили в противостоянии, просто иногда оно стихало, перетекая в перемирие до момента, пока я не сделаю что-то, что мама расценит как матерую неблагодарность или в духе «как ты могла?».

По этой причине **я постоянно жила в ощущении, что со мной что-то не так**. У всех моих друзей были другие мамы. Добрые. Понимающие. Веселые. Я к ним тянулась. Приходила в гости к подруге, а болтала с ее мамой.

В итоге меня обожали все мамы моих подруг.

Потом я приходила домой и спотыкалась о мамин взгляд или натыкалась на ржавое осуждение моего поступка. И мне хотелось обратно, в теплые волны понимания чужих мам.

Именно в таком настроении я и написала свой рассказ, абсолютно честный, в котором я призналась сама себе, что моя мама — очень сложная и совсем не такая, какой я хотела бы ее видеть. Получается, что и я веду себя нормально, когда не включаю «маменькину дочку»: не бросаюсь к ней с объятьями или не испытываю желания благодарить ее, говорить о ней, целовать.

Читая свой рассказ, я плакала. От жалости к себе, наверное, или от прощения. Не знаю. Я словно прощала себе тот факт, что я плохая дочь. Точнее, понимала, что я не плохая, а просто такая, какая есть, исходя из условий жизненной задачи, характера, ресурсов, детства и всего того, что формировало меня как личность.

ЛЮБАЯ ЛИЧНОСТЬ – ЭТО ПАЗЛ МИЛЛИОНА УСЛОВИЙ.

Утром того дня в блоге я опубликовала очередной свой пост, который получил горячий отклик читателей. В нем я описывала один свой добрый поступок, и читатели писали в комментариях: «Вы такая хорошая», «Ты такая умница». Тогда я подумала о том, что формирую свой идеальный образ в глазах читателей.

Однако если бы они знали правду, они бы разочаровались и перестали бы меня читать. Значит, я лицемерка. Получается, мне важнее казаться, а не быть.

Но ведь честность — это очень очищающий ресурс. Это такая жесткая губка, которой можно отчистить ржавчину лжи в душе до блеска и легкости. Не разводить внутри плесень липовой идеальности, а сказать правду, мол, я вот такая, местами плохая. Например, смотрите, какая я плохая дочь. Мне стало мерзко на душе от того, что я так не делаю и мне страшно сказать правду, что я прячусь в свою липовую идеальность от реальной жизни.

На тот момент я ощущала себя мошенницей, сознательно обманывающей людей.

В итоге я опубликовала тот рассказ. Про маму. Это был порыв. Какая-то минутная решимость. Написав, я отключила телефон, чтобы мне не захотелось все исправить и удалить, пока не поздно.

Потом я ушла в ванну и целый час лежала в горячей воде, думая о том, что только что разрушила свою карьеру блогера. Символично то, что к слову «разрушила» опять имеет отношение моя мама.

Всю жизнь у меня было ощущение того, что, как только я что-то построю и у меня что-то начинает получаться, мама приходит и все рушит. Причем для этого ей не надо вообще ничего делать, а иногда достаточно просто закатить глаза.

После ванны я долго смотрела с балкона на засыпающий город. Ощущала себя опустошенной.

Затем перед сном я включила телефон, и он стал вибрировать как сумасшедший, сигнализируя об уведомлениях. Люди в блоге комментировали мой пост о маме. «Наверное, пишут о том, как они разочарованы и какой я ужасный человек», — подумала я.

Однако я начала читать комментарии и поразилась.

Почти все отзывы были о поддержке, а каждый второй о том, что... люди меня очень понимают, потому что у них, в их «идеальных» жизнях, оказывается, все очень похоже. Было много слов благодарности за смелость и искренность, за то, что открыто говорю о том, что озвучивать не принято: что мама, несмотря на то, как поется в песнях и пишется в книжках, — это не всегда самый близкий и важный в жизни человек.

Такая реакция читателей стала для меня настоящим потрясением. Я поняла, что люди ценят мою честность и конвертируют ее в уважение, что не нужно никем казаться, надо просто быть и честно писать о своих слабостях, которые ведь есть у всех.

Я усвоила урок и стала периодически писать о маме, точнее, не о ней, а о себе, о том, как сложно принимать ее неидеальность.

Все эти рассказы имели горячий отклик.

Для меня же эти маленькие исповеди стали терапевтическим инструментом для прощения себя.

Тот факт, что я не одна испытываю эти чувства, которые казались мне стыдными и неправильными, навели меня на мысль о том, что **чувства не бывают аномальными**. Они просто есть. Более того, они все правильные: разные, сильные, позитивные, созидательные, грустные и деструктивные — и имеющие право на жизнь. Этих чувств не надо стесняться, их можно анализировать на предмет того, насколько они вам нужны и выгодны, какие вдохновляют или якорят. Также благодаря этому вы можете что-то изменить в себе, чтобы в жизни было меньше такого рода балластов.

К тому моменту моя мечта о книге уже приобрела вполне осязаемые формы будущего контракта с издательством. Нужно было только озвучить идею, понять концепцию.

Я понимала, что люди не читают тексты, им интересны эмоции, с которыми идет повествование. Поэтому первая книга должна быть о том, что вызывает самые сильные эмоции в моей жизни.

Что же это? Точнее, кто? Правильно. Мама.

Книга должна быть о моей маме. Точнее, обо мне, о том, какие уроки я извлекла из «неидеальности» моей мамы и насколько «идеальной» мамой на контрасте удалось стать мне.

Есть притча о лягушках. На бревне сидели три лягушки. Одна из них решила прыгнуть в воду. Сколько лягушек осталось на бревне?

На бревне остались три лягушки. Лягушка только решила прыгнуть, но не предприняла никаких действий.

ВАЖНО НЕ ПУТАТЬ ДЕЙСТВИЕ И ПРИНЯТИЕ РЕШЕНИЯ.

Однако вы держите в руках эту книгу, получается, я все-таки «прыгнула».

Это книга рассказов, каждый из которых — совершенно самостоятельное произведение. На первый взгляд они никак друг с другом не связаны, но это иллюзия. На самом деле каждый из этих рассказов — бусина, нанизанная на нить моей судьбы.

Одна часть книги — это пугливая стайка рассказов, написанная от лица маленькой меня. Олечка-дочечка.

Как росла маленькая Олечка, каким было ее детство, какую роль в нем играла мама, как отчаянно и безусловно Олечка ее любила, с каким восхищением смотрела, какие приключения переживала, будучи «похороненной за плинтусом».

Другая часть книги — это подборка рассказов от лица взрослой Ольги. Ольги-матери. Ольги-личности.

Мне бы хотелось, чтобы, прочитав их все, вы уловили незримую, но вполне осязаемую связь: почему если в знаменателе случается такое детство, то в числителе возникает определенная взрослость, почему именно из этой Олечки выросла такая Ольга, каким образом перекликаются поступки и решения взрослой жизни с теми ситуациями, которые, казалось бы, уже давно пережиты в детстве.

Я уверена, что эхо детства всегда звучит в любом взрослом человеке, даже самом мудром и психологически подкованном.

Кроме того, я убеждена, что для психологов моя книга станет коллекцией диагнозов. Вероятно, так и есть, поэтому если бы я была психологом, то книга звучала бы иначе, более осознанно и инсайтно. Но я не психолог, а потому мне не ведомы никакие теоретические подоплеки своих поступков.

Просто иногда я ощущаю в себе маленькую, оставленную мамой Олечку, которая приходит за ответами. Почему?

Понятия не имею.

Но знаю, что делать, чтобы все исправить, и уверена, что любую ошибку на свете можно исправить любовью.

ИМЕННО ДЕФИЦИТ ЛЮБВИ КУЛЬТИВИРУЕТ В ЧЕЛОВЕКЕ ЗЛОСТЬ, ОБИДЫ И СТРАХИ.

Весь негатив надо отчаянно в себе отлюбить, поэтому я учусь любить ту маленькую напуганную Олечку всей душой. И от этого взрослая Ольга становится мудрее и сильнее, потому что она через каждый такой рассказ учится прощать.

Именно так я шла к глубинному прощению по ступенечкам каждого рассказа-признания.

И пришла.

Знаете, если вдруг у вас получится и вы простите, то так свободно, так хорошо и счастливо становится на душе, в которой много честности и мало обид.

ПРОЩЕНИЕ ОКРЫЛЯЕТ И НАПОЛНЯЕТ ЖИЗНЬ СМЫСЛОМ И ЭНЕРГИЕЙ.

Я приглашаю вас пройти со мной по моим ступенькам, я приглашаю вас в это путешествие.

Вдруг вам будет интересно и вы в чем-то узнаете себя? Быть может, вы даже ощутите отголоски похожих чувств и вкус созвучных эмоций. Тогда мы зазвучим в унисон и вместе научимся прощать. Наших мам. И себя. И каждого человека вокруг в этом безумном, безумном, безумном мире.

Спасибо вам за вас.

Я бы никогда не решилась на эту обнажающую душу книгу без вашей поддержки.

Мой день

Распятая, я лежу на гинекологическом кресле. Полчаса назад я родила сына.

Он здоров. 9 баллов по шкале Апгар.

Рожала я 12 часов. Без эпидуралки. Это значит, что все 12 часов было мучительно больно. По десятибалльной шкале уровня боли примерно на двенадцать. Я думала, что умру.

Не привыкла обременять собой людей и стараюсь по возможности этого не делать, но там, в родблоке, в первый и последний раз в жизни, я отчаянно кричала от боли, не могла сдержать этот крик и вдобавок к физической боли мучилась еще и душевным дискомфортом, что напрягаю людей: неонатолог непроизвольно морщилась, специалист по экстренному кесареву сочувственно качал головой, анестезиолог показательно-безучастно смотрел в окно, акушерка, вытиравшая мне пот со лба, участливо спрашивала:

— Больно? Это хорошо. Значит, скоро родишь...

— Когда скоро? — уточняла я пересохшими губами.

— Потерпи, совсем скоро... Дать иконку?

— Не надо иконку, дайте обезболивающего, — обессиленно шепчу я и воспаленными глазами ищу взгляд анестезиолога.

Он продолжает смотреть в окно, хотя и точно чувствует мой прожигающий насквозь, молящий взгляд, и говорит будто не со мной:

— Оля, я не могу, я же объяснял. Ты же не хочешь навредить своему ребенку...

НЕ ХОЧУ. Я НЕ ХОЧУ НАВРЕДИТЬ СВОЕМУ РЕБЕНКУ. НО И УМЕРЕТЬ Я НЕ ХОЧУ. И ПЛАЧУ НАВЗРЫД.

Схватки идут минута через минуту. Минута схватки кажется критически бесконечной. Минута отдыха кажется нереально быстротечной. Все плывет перед глазами, мне кажется, я теряю сознание.

Оказалось, так и было. Организм не справлялся с поставленной задачей, спасал себя принудительной, пограничной сну бессознательностью...

— Соберись! — строго рявкнула врач, похлопав меня мягкими холодными ладонями по горячечным щекам. — Остался последний рывок! Хорошие потуги, уже вот-вот... Давай! Давай! Давай! Умница! Ну вот и все...

— ВСЕ? — спросила я.

— ВСЕ! — сказала врач.

— Это хорошо, — сказала я и потеряла сознание. Последнее, что я слышала, уплывая в вязкий туман, — робкий писк моего новорожденного сына...

Я лежу, распятая, на гинекологическом кресле. Полчаса назад я родила сына.

9 месяцев счастливого ожидания, 12 часов острой боли — и вот оно, счастье, запеленутое в тугой фланелевый кокон.

Меня только что привели в чувства. Ощущение безграничной эйфории от того, что я теперь мама и что больше не будет ТАК больно, захлестывают меня.

Акушерка ставит мне капельницу и сообщает:

— Богатырь! Здоровячок! Сейчас тебя заштопают, и я отвезу вас, мамочка, с сыном в палату... Ты молодец!

— Мамочка, — улыбаюсь я, глядя на сына, маленькой щурящейся гусеничкой лежащего под специальной лампой. — А он не упадет?

Акушерка заливисто смеется.

— Упадет, конечно. И не раз, пока вырастет. Но точно не сегодня. На вот, пока врач занят, позвони, — акушерка протягивает мне телефон. — У тебя две минуты.

Свои две минуты я разделила поровну между мужем и мамой.

Муж схватил трубку сразу:

— Как ты?

— Приезжай утром, папочка, хочу тебя кое с кем познакомить...

— Умница моя, как ты? То есть как вы?

— Мы здоровы, все отлично. Устала дико, потом расскажу, сейчас зашьют и спать. Сам всем скажи.

— Главное, что ты в порядке. И это... спасибо за сына!

Набираю номер мамы, тороплюсь. Она долго не берет трубку, понятное дело, третий час ночи...

— Алло!

— Ну наконец-то, мам! Я родила! 4200! 55 см!

— О господи, слава богу! А я хожу целый день с головной болью, неймется что-то. Утром просто дико голова болела, прямо гудела, к вечеру давление поднялось, я уж и соседку звала, она мне померила, выпила таблетку от повышенного, заснула в восемь вечера, а в двенадцать уже проснулась, голова все болит, ну, думаю, надо опять давление померить...

Знаешь, мам... **Жаль, что нет на свете школы хороших мам. У каждой мамы своя собственная такая школа. Нас никто не учит быть хорошими родителями.**

Я знаю, мама, что ты любишь меня так, как умеешь. Как считаешь правильным. Я так же буду любить своего сына. Точнее, уже люблю.

Твоя мама, мам, моя бабушка со смешным фруктовым именем Груша, недолюбила тебя, маленькую деревенскую кудрявую девчонку, потому что ей было некогда. Она была занята домом, хозяйством и детьми. Любовь твоей мамы имела материальное воплощение — чугунок с красным борщом и теплые вязаные носки. Одеть и накормить. Бабушка Груня пекла в настоящей деревенской печи картошку и делала к ней жирную сметану. Все свое, натуральное. А вечером вязала детям шерстяные носки и шапки. Бабушке Груне некогда было обнять тебя, поцеловать, приласкать. Она подтыкала твое одеяло, собственноручно сшитое из лоскутов, и поправляла прядь твоих кудрявых волос, когда ты уже спала. Спала и не знала об этой мимолетной адресной ласке.

Свой дефицит любви ты реализовала, уже будучи взрослой, создав семью. Ты вышла замуж и родила детей, чтоб их любить и чтоб они любили тебя. Но старший — мальчик — не оправдал твоих ожиданий в части получения качественной и щедрой любви: он не терпел телячьих нежностей, был молчалив и отстранен.

А младшая — девочка — другое дело. Выращенная родней в другом городе до половозрелости, ладненькая, умненькая, она сама бросалась в руки, прелесть голубоглазая, бантики-косички. Машина по производству безусловной любви и ласки.

Ты забрала меня к себе и с энтузиазмом стала выкачивать из меня любовь, заполняла пустошь живительной влагой моих объятий. Я с не меньшим энтузиазмом отдавала ее тебе. Все дети вдохновенно любят мам.

Все. Я видела это своими глазами. Уже будучи взрослой, я долгое время курировала школу-интернат для детей сирот и детей, оставшихся без попечения родителей. Там была девочка. Тома. Ее мама сидела в тюрьме: совершила несколько очень страшных преступлений. Тома с шести лет в этом интернате.

Тома красивая девочка, хоть и сложная. Отстраненная. Тому захотели удочерить. Нашлись благополучные родители, которые решили забрать Тому к себе.

— Зачем мне новая мама? — пожала плечами Тома. — У меня же есть.

— Тома. — Заведующая интернатом мягко погладила ее по плечу. — Твоя мама еще долго будет сидеть в тюрьме. Она не сможет дать тебе детства, которое ты заслуживаешь. А новые родители смогут.

— Послушайте. — Тома стряхнула руку заведующей. — Моя мама — самая лучшая. Я вырасту, пойду работать, стану зарабатывать — и буду носить маме апельсины. Там, в тюрьме, совсем плохо с витаминами. А потом она выйдет, и мы будем жить, как все нормальные люди...

Это я к тому, что дети любят мам безусловно и заранее прощают им недостатки и слабости.

Однако дети взрослеют и начинают задавать вопросы. Смотрят с подозрением. Уточняют. Это нормально: они растут, им хочется осознанной любви. В вопросах нет ничего плохого, они маркер самоопределения, а не симптом нелюбви.

Я стала задавать вопросы.

Но ты расценила мои вопросы как бунт. Злилась, отталкивала руки.

Ты заболела. Я испугалась. Смертельно испугалась. Когда ты в 13 лет вдруг обретаешь маму, живую и настоящую, а потом она вдруг театрально хватается за сердце и, собираясь умереть, предусмотрительно сообщает тебе, где лежат документы на квартиру, и весь этот ужас происходит лишь потому, что ты посмела спросить ее о том, что волнует тебя все 13 лет жизни без мамы, твой страх потерять маму так велик и безграничен, что он накрывает тебя с головой волной ледяного ужаса и отпечатывается в сознании навсегда.

Ты тяжело дышала, а потом выпила валокордин и сказала, что отлегло.

А у меня, мам, до сих пор не отлегло. В тот день я мгновенно повзрослела, а ты открыла для себя новое месторождение моей любви и внимания — манипуляции твоим здоровьем.

И ты стала болеть. Ты болела так вдохновенно, разнообразно и продолжительно, что я, к своему ужасу, мам, даже и не помню тебя здоровой.

Спасая тебя, я стала щедро переливать в тебя плазму сочувствия и соучастия. Я занимаюсь этим всю жизнь. Пятнадцать лет в ответ на безобидный вопрос: «Как дела?» — я слышу скучный и подробный перечень твоих симптомов, болезней и обид.

Боясь показать тебе свое раздражение и усталость, ведь это еще один повод для обиды, а их и так множество, я слушаю молча, демонстрирую включенность: киваю, переспрашиваю, но думаю о своем.

Ты чувствуешь мое отдаление и усугубляешь его, яростно атакуя очередной, еще более серьезной болезнью.

Ты ненасытна в своем желании моего круглосуточного внимания и участия. И я отдавала, мам, отдавала все до последней капли, со всей возможной страстью девочки, искренне любящей маму.

И даже создав свою семью, я продолжаю любить, жалеть и лечить тебя с утроенной энергией, чтобы не нанести урон твоему здоровью моим новым сияющим статусом жены. Но ты расценила это как предательство. В смысле, мое создание семьи.

Ты решила, что произошло восстание машин. Твоя машина по производству любви стала любить кого-то еще, и этот кто-то повадился к моей скважине, беззастенчиво черпая запасы любви двумя пригоршнями. Ты возмутилась и привычно заболела, отвоевывая свое право на полновластное владение моими ресурсными мощностями. Ты боролась.

А я... Я не видела в этой отчаянной материнской борьбе ярости бессовестного эгоизма, я видела лишь девочку-кудряшку в шерстяных носках, накормленную досыта, но недолюбленную бабушкой Груней. И жалела ее, эту девочку.

Два дня назад я приезжала к тебе ночью, разругавшись вдрызг с мужем, категорически запретившим мне ехать к тебе на последней неделе беременности (это опасно!), убеждавшим, что в двадцать семь лет уже пора научиться распознавать твои очевидные манипуляции, а я рыдала и рвалась к выходу, доказывая мужу теорему о твоем плохом самочувствии и обвиняя его в бесчувственности; в итоге, неукрощенная, дождалась, когда муж заснет, и сбежала, летела к тебе по пустому ночному МКАДу, еле дотягиваясь до руля из-за огромного живота огурцом, торопилась, открывая дверь дрожащими руками. И все это ради того, чтобы убедиться, что муж был прав и ты сладко спишь в своей комнате, в которой даже не пахнет валокордином.

Я уезжаю тихо, не разбудив тебя, лечу домой по пустому ночному МКАДу, а слезы застилают глаза, и это очень опасно, ведь я рискую не только собой, но и ребенком. Съезжая на обочину равнодушного МКАДа, я включаю аварийку и самозабвенно плачу, растирая глаза кулачками, как маленькая.

Приехав домой, я сладко засыпаю, хотя последние месяцы беременности мучаюсь безжалостной бессонницей.

А утром ты, мама, будишь меня телефонным звонком и говоришь, что я плохая дочь, потому что мне плевать на мать и я не приехала, а тебе было так плохо. Спросонья я тру глаза, меня подмывает сказать, что **у хороших матерей не бывает плохих детей**, но я не хочу словесной драки с матерью: ты все равно победишь, схватишься за сердце, применишь свой неоспоримый аргумент манипуляции.

Я молчу. Молчание — знак согласия. Я плохая дочь. Пусть так. Мне все равно. Мне страшно, мам. Мне рожать не сегодня-завтра. И будет больно. И в преддверии этой боли мне хочется быть центром вселенной, хоть раз в жизни, хотя бы на пару дней.

НУ, СПРОСИ МЕНЯ, КАК МОИ ДЕЛА, ЗАМЕТЬ ЖЕ МОЙ СТРАХ...
— А ЕЩЕ ЧТО-ТО В НОГУ ВСТУПИЛО, ЕЛЕ ХОЖУ, — ГОВОРИШЬ ТЫ.
— ВЫЗДОРАВЛИВАЙ, МАМ, — ОТВЕЧАЮ Я.

Знаешь, мам, я полчаса назад родила человека, которого уже полчаса люблю больше всех на свете. И мне было больно, я потеряла много крови, была без сознания, но я справилась.

Я, мам, молодец. Так сказала акушерка. А я бы хотела услышать это от тебя. И сейчас, в этот день и в этот момент, мам, прости, но я не хочу говорить о тебе и твоих болезнях, потому что это мой день, мам, понимаешь? Мой! Подари мне его, отдай, очисти его от своих чертовых диагнозов!

У меня сын, мам, понимаешь, СЫН! А у тебя внук! И сегодня я молодец. И у меня, мам, было две минуты.

И минута, которую я говорила с мужем, была критично быстротечна.

А минута, которую я говорю с тобой, — это вечность...

Знаешь, мам, ты смеешься, когда я пою, но не от умиления. Ты говоришь, что у меня категорически нет голоса и слуха, и смеешься. И сегодня, мам, я хочу тебя рассмешить, поэтому я тебе спою:

«Пусть мама увидииит, пусть мама придееет, пусть мама меня непременно найдееет, ведь так не бывает на свееете, чтоб были потеряны дееети, живущие в соседней комнате...»

Смейся, мама, смейся...

— ...И голова все равно такая тяжелая, я уже и спазмолитик выпила, я прямо чувствовала, что родишь, но организм мой потрясывало, и я перед сном выпила корвалол....

— Выздоравливай, мам...

Расшибёсси

В детстве я ходила гулять с прабабушкой.

Ей было за 80.

У прабабушки ныли суставы и скакало давление.

Мне было пять лет.

Я тоже хотела скакать, как давление, а когда мне не давали этого делать, я ныла, как суставы.

Детский организм заряжен порохом любопытства. Он должен постоянно выстреливать салютом восторгов, это его рабочее состояние. Должен вскакивать с кровати и, подхваченный ликующим настроением, нестись навстречу приключениям.

Я так и делала. Просыпалась и выстреливала. Восторгом.

Но в любой инструкции к фейерверку написано, как это опасно. А фейерверк детских эмоций — в два раза опаснее. Для взрослых это накладно.

Потому что надо отложить свои дела и следить, чтобы дите — в данном случае я — не причинило вред окружающим и прежде всего себе.

Например, не упало со штор, катаясь на них, или не промокло, шастая по лужам.

Это классический конфликт интересов. И в этом конфликте обязательно должна быть пострадавшая сторона.

В моем случае каждая сторона считала себя пострадавшей.

Родители сердились на меня за то, что я в пять лет не веду себя продуманно и взвешенно, как взрослая женщина, и наказывали за то, что в моих поступках отсутствовала логика. Я же стояла в углу и дулась, не понимая, в чем вечно виновата.

— Ты зачем скачешь, как сайгак, по комнате. Ты видела, чтобы кто-нибудь из взрослых так скакал? Вон прабабушка сидит, читает Псалтырь. Не скачет.

«Прабабушка молодец и не скачет. Будь как прабабушка», — словно говорили мне и наказывали за то, что я не прабабушка.

Меня никто не слушал. **Раньше вообще было не принято слушать детей. Их просто воспитывали.**

Глагол «воспитывать» включал в себя питание, проживание и запреты всего, что просит ребенок. Чтобы знал, кто главный, и ненароком не запутался в субординации.

В пять лет все мои прогулки были пробниками старости.

Я выходила с прабабушкой на улицу и садилась на скамейку с ее подругами.

Весь путь от квартиры до скамейки (а это пять шагов по лестничной клетке, потом лифт, затем три подъездные ступеньки) прабабушка для надежности вела меня за руку. Видимо, предполагала, что я и там смогу покалечиться. Полоумный сайгак способен сломать конечности даже в лифте.

Кстати, бабушкой был найден уникальный и естественный для бабушек способ снизить мою прыгучесть. Он назывался «раскормить».

Если довести ребенка до первой или второй стадии ожирения, то он сам не захочет прыгать. Захочет сидеть на скамейке, справляясь с одышкой.

Все бабушки на скамейке были в платочках. И прабабушка была в платочке. Если бы и мне повязали платочек, то я со спины совсем слилась бы с пожилым контингентом.

К ШЕСТИ ГОДАМ Я ОБРОСЛА НАВЫКОМ ОСУЖДАЮЩЕ ЗДОРОВАТЬСЯ С ПРОХОДЯЩИМИ ЖИЛЬЦАМИ, ПРЕЗРИТЕЛЬНО ПОДЖАВ ГУБЫ: «ЗДРАСССЬТИ!» – И МАСТЕРСКИ ПОДДЕРЖИВАЛА СТАРУШЕЧЬИ БЕСЕДЫ.

Пока мои сверстники играли в «Казаков-разбойников», прятки и догонялки, я, подперев ладошкой пухлую щеку, аргументированно рассуждала о том, почему бесстыжая Натка таскает с работы лотки с продуктами, ведь ее недавно перевели из столовой на склад, и чем намазано в гараже у дяди Толи, если туда слетаются как мухи все районные алкаши.

Иногда мы с бабулями весело смеялись беззубыми ртами. Если вдруг что-то казалось им смешным. Я их шуток не понимала и смеялась за компанию. По количеству зубов мы с ними, кстати, тоже совпадали: у меня еще не выросли, у них — уже выпали.

Однажды во время наших старушечьих посиделок мимо скамейки пробежал рыжий Валерик. Он был лохматый, грязный и голодный, потому что рос в многодетной семье.

Многодетные семьи стояли на особом старушечьем учете, ибо плодили хулиганов и шалопаев.

На чумазую персону Валерика у нас имелось целое досье, полное компромата:

— Зачем Людка рожала четвертого в двухкомнатную квартиру, чем думала, шалава?

— Что за мода нынче держать в квартире больших собак? Это же как пятый ребенок!

— Невоспитанный Валерик давече с Петровной даже не поздоровался. Она ему: «Здравствуй, Валера!» — а он ей «здрасьте» пожалел.

— До четырех лет он вообще не говорил, думали, немой, а нет, выправился.

— Никого не слушает эта молодежь, зла не хватает, свою голову же не приставишь, прости хосподи.

Так вот, Валерик.

Он, в порванных на коленях штанах, спасаясь от кого-то бегством, несся к гаражам и делал это с таким азартом, столько ликования было в его глазах, что я, повинуясь какому-то инстинкту, заразившись его настроением, не удержалась, будто кто толкнул меня, спрыгнула со скамейки и резво побежала за ним.

Я бежала так быстро и так свободно, что мне с непривычки показалось, что у меня развеваются щеки.

— РАСШИБЁС-СИ-И-И!!! — тут же услышала я вслед прабабушкин голос, который воткнулся мне в спину холодным мечом.

Прямо вошел точнехонько между лопаток.

Я выгнулась пузом вперед, будто врезалась, будто меня и правда догнала ударная волна прабабушкиного возмущения, и неловко плюхнулась на пятую точку, тяжело дыша.

— Я ЖЕ ГОВОРИЛА!!! — закричала прабабушка, полыхая гневом.

Когда она меня ругала, то сразу молодела. Не скакало давление, не ныли суставы. Она становилась румяной, и ее голубые глаза перетягивали на себя внимание от морщин.

Я, ссутулившись, посидела в пыльной грязи секунд десять и понуро побрела к насесту.

Прабабушка ждала меня на скамеечной локации для публичной словесной порки за проступок.

Я шла к ней, отряхивая руки, и думала: «Вот зачем, зачем я побежала? Сидела же как человек, на радость прабабушке. Нет, надо же было сдриснуть. А Валерик! Он что, не мог обернуться и подождать? Нарожают четверых в однокомнатную, заведут собак, а потом от них выбегают невоспитанные и молчаливые валерики, на которых зла не хватает...»

Я покорно вернулась на скамейку со слегка виноватым выражением лица.

— Ну и куда ты, прости хосподи, понеслась? — спросила прабабушка.

Она перевернула мои руки вверх ладошками, увидела, что они пыльные от падения, достала старый желтоватый носовой платок, плюнула на него и стала вытирать мне ладошки от пыли.

Мне стало противно и брезгливо. У прабабушки во рту было уже совсем мало зубов, они сгнили, а два передних раскорячились, образуя заглавную букву «Л», и она ела много тертого чеснока, ибо свято верила в то, что если Иисус Христос не спасет ее от хворей, то это сделает чеснок.

Одно время она, яростно просвещая меня в вопросах веры, здоровья и нечистоплотности сотрудников собесов[1], так намешала четырехлетней мне понятия о том, что чеснок — это немного апостол. Другими словами, заместитель Иисуса в Департаменте здравоохранения собеса.

Собес прабабушка ненавидела. И я ненавидела его за компанию. Не может быть хорошим учреждение, в названии которого есть слово «БЕС». Прости хосподи.

И вот этими слюнями, полными гнилых зубов и чеснока, она вытирала мне руки.

Я захныкала.

— Тань, а что, может, побегала бы детка-то? А то что она с нами? К чему ей эти разговоры? — заступилась за меня тетя Тома перед прабабушкой.

Она пекла вкусные румяные пирожки с капустой и всегда меня ими угощала. Еще у нее жила подран-

---

[1] Собес — этим сокращением в советские времена называли орган социального обеспечения, где оказывались услуги и осуществлялись выплаты гражданам. — *Прим. ред.*

ная собаками кошка, которую она втихаря разрешала мне гладить.

Прабабушка запрещала мне приближаться к животным, потому что «у них лишай».

Я не знала, что такое лишай, но гладила кошку тети Томы со всей возможной осторожностью: если бы она заразила меня лишаем, то правда о моем гладильно-кошачьем преступлении просочилась бы до прабабушки, и она сказала бы строго:

— Я ЖЕ ГОВОРИЛА! — и помолодела бы на глазах.

— Ну и что это было? — строго спросила меня прабабушка. Адвокатирования теть Томы она сознательно не заметила. — Куда это мы покатились? Что тебе надо было от Валерика? Поваляться в грязи за гаражами? Явиться домой в порванных штанах? Чумазая? Научиться от шантрапы матом ругаться? Куда тебя понесло? Что ты ревешь? Нет, ну что ты ревешь?

Я не знала, почему я реву. Не понимала. Не понимала состава своего преступления.

Просто по лицу текли слезы, а я брезговала вытирать их «чистыми» ладонями.

— Это все Сатана! — вынесла вердикт прабабушка.

Это был главный ее диагноз, прояснявший предпосылки каждого моего проступка.

Прабабушка была очень верующая.

В ее комнате стоял богатый иконостас, блестевший «золотом» икон, около которого она молилась каждый день с четырех утра.

Также она ходила на службы в церковь и держала все посты. Это не сложно с двумя последними здоровыми зубами, которые будто прислонились друг к другу буквой «Л» и говорили: «Ладно, Лейте баЛанду».

Меня, четырехлетнюю, прабабушка тоже пыталась вовлечь в христианство и брала на утренние службы, где я, сонная, замерзшая, стояла в зале, пахнущем воском и ладаном, покрытая прабабушкиным платком, который, как и все прабабушкины вещи, ядрено пах чесноком, и крестилась, как научила прабабушка, на чужие попы.

Я не видела икон, стояла в толпе, и на уровне моих глаз были только попы.

Благоговение никак не приходило. Думаю, это от того, что оно хранится где-то выше чужих пятых точек.

— Спаси и сохрани мя, святой Пантелеймон, — нашептывала мне текст прабабушка в зависимости от святого, которому возносится молитва.

— Спаси и сохрани мя, святой ...лимон, — просила я, чуть не плача от жалости к себе, чью-то впереди стоящую попу, одетую в шуршащий плащ. Попа шуршала мне в ответ.

Как на самом деле выглядит святой Пантелеймон, я узнала много позже, спустя лет 10.

А в тот момент безутешно рыдала от желания оказаться в постельке и поспать.

— Ничего, — говорила прабабушка. — Это очищающие слезы.

Она думала, что я плачу от спустившегося на меня свыше благословения.

Мой плач перерастал в вой, и становилось очевидно, что ничего очищающего в моих слезах нет. Только педагогическое.

ПРАБАБУШКА СТРЕЛЯЛА В МЕНЯ ГЛАЗАМИ, ИСПЕПЕЛЯЛА ВЗГЛЯДОМ И КРЕСТИЛАСЬ ЕЩЕ ЯРОСТНЕЕ, ОТМАЛИВАЯ ПЕРЕД БОГОМ МОИ ГРЕХИ.

По дороге домой прабабушка грозно объявляла, что в меня снова вселился Сатана и что в церковь она меня больше не возьмет, потому что ей за меня стыдно перед Богом и прихожанами.

А я семенила за прабабушкой и думала, что в данном случае наказание — это лучшая награда, потому что я ненавижу ходить в церковь.

— И если не встанешь на путь истинный, будешь гореть в геенне огненной, — добавляла прабабушка.

В этом месте я начинала еще безутешнее рыдать, потому что боялась боли.

У меня на ноге, чуть выше колена, уже был маленький ожог от утюга, и я помню, как сильно больно было на том месте, где я прижгла себе кожу. А тут целая геенна. Это же как много разгоряченных утюгов!

— А долго гореть? — спрашивала я. Меня интересовали сроки и продолжительность искупления грехов. В конце концов, для грешных детей там, на небесах, должны быть какие-то скидки. Ну я не знаю... не такие горячие геенны, не такие уж и огненные... Здесь, на Земле, — бесплатный проезд, например. А там?

— Пока все грехи не искупишь!

По мнению прабабушки, я была утрамбована грехами по самую макушку. В меня постоянно вселялся Сатана.

Например, это он задирал мне ноги на спинку кресла, когда я смотрела мультики («Сядь нормально, ноги опусти!»), он заставлял прыгать через две ступеньки, когда я спускалась с лестницы («Иди нормально, что за бес в тебя вселился?!»), это он нашептывал не слушаться бабушку и пить украдкой еще не остывший кисель, это он вчера вылил на меня бидон кваса, который я несла на окрошку и вздумала попробовать, не рассчитав силы на поднятие бидона.

Сатана выселялся только на момент сна, прилежного чтения и рисования, а все остальное время весело проживал во мне и чувствовал себя хозяином положения.

— Значит, навсегдааа, — рыдала я.

Мои грехи не искупить, их слишком много... Ну ничего, Бог милостив, буду молиться, прости хосподи.

Мимо опять пронесся Валерик. Теперь уже в другую сторону. Он был вымазан весь в чем-то белом, а в руках у него была консервная банка, привязанная на веревочке. Валерик бежал и весело гремел.

Я засмеялась.

Прабабушка строго посмотрела на меня:

— Он с ума сходит, балуется, а тебе все смешно! Тоже хочешь в известке изваляться и скакать, как будто бес вселился?

Я резко прервала смех и замолчала, низко опустив голову.

Видимо, когда я хорошо себя веду, сижу на скамейке, сплю и читаю, Сатана от скуки вселяется в

Валерика. И ему, бедному, гореть в геенне огненной придется еще раньше, чем мне. Вместе со своей консервной банкой.

— Кон-сер-ва на по-вод-ке, — захохотал Валерик и, прибавив скорость, побежал дальше, заряженный детским восторгом.

Мне очень хотелось искупить неуместность своего смеха, поэтому я, подобострастно глядя на прабабушку, закричала вслед Валерику:

— РАСШИБЁС-СИ-И-И!!!

Волшебник

Мама прислала посылку, а в ней — подарок для меня. Я расту в разлуке с мамой, под присмотром бабушки и дедушки, и мама старается угодить мне, проявив свою любовь на расстоянии.

В прошлый раз, например, мама прислала мне белую шубку неописуемой красоты. Я звала ее «шупка». Шубка была, конечно, искусственной, но при этом ослепительно нежной, пушистой, и к ней в комплекте полагался такой же кипенный капюшон, а спереди на заплетенных косичками веревочках болтались белые пушистые завязочки-помпоны. Это была самая красивая шубка в мире.

Но бабуся сказала строго:

— Ишь, жопа наружу, лечи потом циститы ребенку. И куда в нашу слякоть такую шубу? В школу? Сопрут. На рынок? Смешно. Гулять? Загадишь.

— Может, в театр? — робко предложила я.

Я была в театре дважды: первый раз — с дедусей на слете ветеранов, второй — с классом, на «Коньке-Горбунке». Оба раза в театре было ослепительно красиво, сверкали люстры, горели канделябры, красный бархат кресел пах роскошью. Театр — это самый торжественный и величественный интерьер, когда-либо виденный мною за все семь лет жизни, и белая шубка ассоциировалась только с ним.

— В театр? — громко и искусственно засмеялась бабушка. — Да часто ты в театре бываешь, Станиславский? В тятр она намылилась...

В общем, шупка, ни разу не надеванная, висела в шкафу в специальной целлофановой накидке.

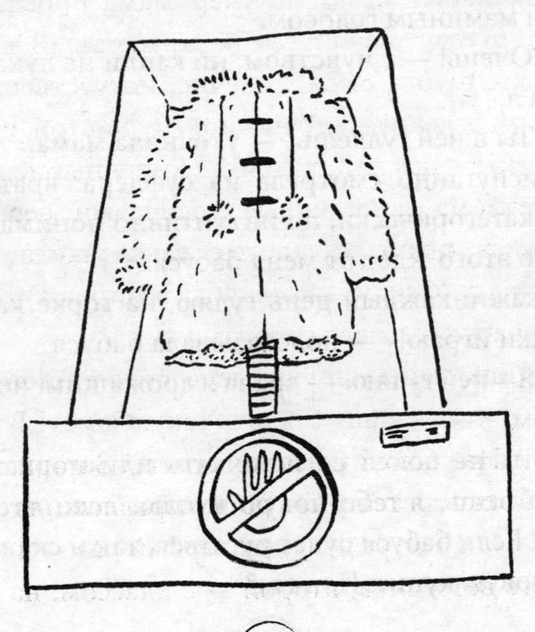

Иногда, когда никто не видел, я тайком открывала шкаф и гладила мех через целлофан: только бы не испачкать.

Мама звонила из Москвы раз в неделю. Мой разговор с мамой был полностью срежиссирован бабусей, бдительно стоявшей рядом, прислонив ухо к трубке.

«Скажи спасибо за шубку», — жарко подсказывала бабуся удачные реплики.

— Мама, спасибо за шубку, — покорно повторяла я.

— Понравилась? — восторженно спрашивала трубка маминым голосом.

— Очень! — с чувством, ни капли не лукавя, отвечала я.

— Ты в ней гуляешь? — уточняла мама.

Я испуганно смотрела на суфлера: врать я не умела категорически, но интуитивно понимала, что именно этого ждет от меня бабуся.

«Скажи: каждый день гуляю, на горке катаюсь, в снежки играю!» — подсказывала бабуся.

— Я в ней гуляю, — врала я дрожащим, не своим голосом.

— Ты не бойся ее испачкать или порвать, это просто вещь, я тебе новую куплю, если что, слышишь? Если бабуся будет ругаться, так и скажи: мне мама новую купит. Поняла?

— Поняла, — тихо лопотала я, съеживаясь под пронзающим взглядом бабуси.

Когда трубка телефона укладывалась на рычаг, бабуся взрывалась возмущенной тирадой.

— Ишь какая! Новую! Чему учит ребенка? Ни беречь, ни ценить! Рви, кидай, новые покупай! А раз богатая такая, так забирай дите и расти его сама, раз миллионерша такая! Слышь, дед, невесточка-то твоя что учудила?! Купила дочке голожопую шубку и учит ее, мол, рви-пачкай-гадь. Бабушке скажешь: новую куплю.

— Уймись, ну-ка! — кипел дедуся в ответ. — Закудахтала, посмотрите на нее. Новости глушишь своими визгами...

Дедуся смотрел новости каждый вечер, и это было святое.

Я ТИХО РИСОВАЛА В УГЛУ КРАСИВУЮ ДЕВОЧКУ
С КОСИЧКОЙ КАК У МЕНЯ, В БЕЛОЙ ПУШИСТОЙ ШУБКЕ...
ЭТО БЫЛА КАК БЫ Я, НО КАК БЫ И НЕ Я.

В этот раз мама передала в посылке пакет нарядных шоколадных конфет, которые бабуся тут же убрала в сервант с аргументом: «Еще карамельки не доели, давай, ешь, а то заветряют». Кроме конфет в посылке были еще белые пушистые варежечки на резиночке. Они идеально подошли бы к шубке, но были при этом самой непрактичной в мире вещью. В белых варежках можно только ловить на лету невесомые снежинки и, разрумянившись от мороза, позировать для фотографии, а «гулять в нашей слякоти» они не годились категорически.

Но когда твоя дочь взрослеет далеко от тебя, она кажется маленькой кудрявой принцессой, которую хочется нарядить в самое красивое, например, розовое платьице с рюшами, белую шубку с капюшоном и нежные варежки. Хочется думать о нежности, а не о слякоти.

Когда же она растет на твоих глазах и ежедневно является с прогулки чумазая, в порванном на плече пуховике или заляпанных грязью штанах, то хочется сшить из немаркого дедушкиного плаща самые уродливые в мире мешковатые брюки, купить серый, самый дешевый, который не жалко, пуховик и направить ее гулять с напутствием: «Теперь хоть по макушку угваздайся — все не заметно, но учти: стираю я по субботам, и, если обляпаешься раньше, будешь до субботы ходить в грязном».

Мама позвонила тем же вечером, спросить, пришла ли посылка. Бабушка заняла суфлерскую позицию рядом с телефоном.

— Там конфеты, очень вкусные, с фруктовой начинкой, ты попробовала? — спросила мама.

Бабуся кивнула.

— Да, — соврала я.

— А варежки в комплект к шубке понравились?

— Да.

— Уже февраль, зима на исходе, носи их активно, на следующий год будут малы, слышишь? Вместе с шубкой.

— Да.

— Ты их еще не мерила? Варежки? — напряженно уточняет мама.

— Нет.

— Оля, — мама начинает говорить шепотом, бабусе категорически не слышно. — Там в правой варежке я положила тебе пять рублей. Это теперь твоя денюжка, слышишь? Бабусе не отдавай, купи себе что-нибудь сама, что захочется. Поняла? Это твоя личная денюжка!

— Да, — бормочу я, покрываясь пунцовыми пятнами, и скомканно прощаюсь с мамой.

— Что она сказала? — привередливо уточняет бабуся.

Я не умею врать без суфлера, но отчетливо понимаю: сказать правду — это подставить маму. Мама доверила мне тайну, и открыться бабусе —

это как... предать мамину любовь. А вдруг мама меня никогда не простит и никогда не заберет к себе, в Москву?..

— Она сказала, — дрожащим голосом докладываю я бабусе, — что я должна носить варежки, а если я их порву или потеряю, мама мне купит новые...

— Ну вот, — бабуся вполне удовлетворена. — Давай, слушай мать больше. Рви все, пачкай, мама же научила! Это же надо...

Бабуся уходит причитать в кухню.

Я все еще стою в прихожей у телефона, оглушенная своей тайной. У меня теперь есть свои 5 рублей. Но для меня это ни разу не радость. Это просто головная боль. Проблемы, которых не было.

Что мне с ними делать? Сказать, что нашла? Бабуся просто отберет. Купить резинового пупса в пластмассовой ванночке в магазине «Подарки»? И как объяснить потом бабусе появление новой игрушки? Проесть в кафе-мороженом? Как? Я никогда не хожу никуда одна: в школу и Дом пионеров на всякие кружки меня провожает дедуся, гулять разрешено одной только на площадке под окнами, в магазин — только с бабусей. Да и продавщицами везде работают бабусины или дедусины знакомые — мигом донесут: городок-то маленький, все друг друга знают.

Выход один: нужно хорошо, очень хорошо спрятать эти деньги. Я буду просто знать, что я богата, что у меня есть деньги, и этого будет достаточно, чтобы чувствовать себя вполне счастливой.

Обремененная тайной, я, хитро прищурясь, разрабатываю целую операцию по незаметному извлечению и перезахоронению клада: дождавшись, когда дедуся засядет за новости, а бабуся уйдет в ванную, я аккуратно распаковываю целлофан, достаю варежки, ныряю ладошкой в правую, достаю пятирублевую купюру, и запаковываю варежки обратно, как было.

Сердце колотится так, будто я ворую эти деньги.

Потом, крадучись, я спешу в спальню, где на трюмо сидят мои старые, но все еще любимые куклы, беру Фенечку, ту, которая с желтыми волосами и провалившимся глазом, откручиваю ей голову, просовываю в полое туловище деньги и прикручиваю голову обратно.

Операция завершена. Я облегченно вздыхаю и сажаю Фенечку обратно на трюмо. Кукла подмигивает мне единственным глазом и обещает сохранить мою тайну...

Прошло полгода. Наступило лето.

Я любила лето больше других сезонов, потому что летом ко мне приезжал кто-то из родителей:

мама или папа. Они приезжали и ко мне, и к морю. Очень удобно.

Этим летом к бабусе с дедусей приехал их сын, мой папа, соответственно. Впереди ожидалось две недели счастья, и я, не справляясь с эмоциями, постоянно пела.

Откровенно говоря, папа в семье никогда не котировался как глава семьи. Бабуся говорила, что он «всегда был навеселе». Я не понимала, что такое «навеселе», думала, что речь о его веселом нраве, и искренне недоумевала, почему бабусе не нравится вечно хорошее папино настроение.

В папин приезд всегда случалась удивительная вещь: на период, пока он жил у них, бабуся с мамой становились вдруг лучшими подругами и о чем-то подолгу шушукались по телефону. Они дружили против папы, и мне это категорически не нравилось.

Я пыталась подслушивать взрослый разговор, но понимала в нем совсем мало: мама и бабуся все пытались папу «закодировать». Значения этого слова я не знала, и оно казалось мне синонимом глагола «заколдовать». Я боялась, что, заколдовав папу от веселья, они превратят его в грустного и печального Пьеро.

Так, собственно, впоследствии и получилось, но это уже совсем другая история...

Для меня папа был праздником. От него пахло потом и чем-то терпким, что бабуся добавляет в торт, когда пропитывает коржи десерта. Это называется коньяк.

Она пекла торт на каждый праздник, и к папиному приезду тоже. Папа ел торт, и крошки застревали в усах. Я смеялась.

Потом мы с папой шли гулять. Папа предлагал пойти в парк, но я категорически отказалась: не потому, что я не хотела в парк, просто гораздо важнее было «засветить» папу во дворе, чтобы все знакомые знали: я не сирота, у меня есть папа, высокий, красивый, в рубашке и с усами.

Однажды во время прогулки папа сказал, что он волшебник и может исполнить любое мое самое заветное желание. Папа был в очень хорошем настроении, выражаясь бабусиным языком, очень навеселе.

Я, не задумываясь, попросилась жить к папе и маме.

— Тебе что, плохо здесь? — расстроился папа, и у него поникли усы. — Тут бабуся и дедуся, ты под присмотром, кружки всякие, плавание, дача, море рядом... Разве плохо?

— Нет, не плохо, — испугалась я, что папа расскажет разговор бабусе. — Но просто...

— Тогда давай другое желание, настоящее, самое заветное...

Я хотела сказать, что это и есть самое заветное желание, но не хотела расстраивать папу и, минутку подумав, выдала: «Хочу съесть столько мороженого, сколько в меня влезет!»

— Отлично! — обрадовался папа, вскочил со скамейки и полез в кошелек. — Дуй в палатку за первым и мне возьми, вот деньги....

— А как же...

— БАБУСЕ НЕ СКАЖЕМ! — ПОДМИГНУЛ ПАПА.
ВСЕ-ТАКИ ПАПА — НАСТОЯЩИЙ ВОЛШЕБНИК, А НАВЕСЕЛЕ
ОН ОСОБЕННО ДОБР И НЕЖЕН. Я ПОЛЕТЕЛА В ПАЛАТКУ,
НЕ ВЕРЯ СВОЕМУ СЧАСТЬЮ.

Как и все дети, я любила мороженое, но бабуся обычно портила все удовольствие: она ставила его в блюдечке на батарею подтаивать и, дождавшись, когда лакомство превращалось в белую лужицу с раскисшим посредине влажным вафельным стаканчиком, приносила мне с ложечкой. И есть его было скучно и почти полезно. Весь смысл слова «мороженое» терялся...

А сегодня я буду есть его сразу после покупки, крепкое, не подтаявшее, в румяной вафле!

В полном восторге я умяла первые две порции. Говоря честно, мне больше и не хотелось, но папа протянул очередной рубль, и я пошла за очередной порцией, чтобы его не разочаровывать.

После четвертого мороженого у меня заболело горло. Я подумала о том, что на самом деле не так уж и сильно я люблю это мороженое...

— Ну, так сколько в тебя влезет? — подмигнул папа и протянул пятую порцию. Песня про волшебника, который прилетит в голубом вертолете и подарит «пятьсот эскимо», вызывала теперь у меня недоумение: что с ними делать, с пятьюстами морожеными? Разве что раздать...

Я съела пять с половиной мороженых. Больше не могла. Но папа был доволен и, доедая за мной шестую порцию, смеялся и говорил, что исполнять заветные желания очень весело. Я была счастлива, что папе со мной не скучно.

Позже мы с папой приходим домой, и я горю от счастья, а вечером выясняется, что от температуры. Затем я проваливаюсь в зыбкий горячечный туман и, редко из него выныривая, досматриваю тот день отрезками диафильма.

Вот врач «Скорой» в синей униформе елозит по моей спине холодным фонендоскопом, от чего я замерзаю так сильно, что от озноба зубы стучат друг о друга, вот бабуся бьет папу по лицу тряпкой, которой обычно вытирают со стола и, рыдая, кричит на него что-то о безответственности, вот я пытаюсь встать, найти и спрятать папин чемодан: я боюсь, что он, обидевшись на тряпочную пощечину, скажет: «Да ну вас!» — и уедет обратно, в Москву, к маме, а приедет только через год, а год — это так невыносимо долго, что за год я успеваю вырасти на несколько делений сантиметровой линейки и даже перейти в следующий класс, вот я слышу перепуганный бабусин крик: «Где она?!» — и топот трех пар ног, и потом вдруг яркий свет, слепящий глаза.

Меня нашли спящей, свернувшись калачиком, в папином чемодане: если папа и уедет обиженно, он, сам того не зная, возьмет меня с собой...

Я болею долго и тяжело, и в день выздоровления выясняется, что уже сегодня папа уезжает. Я безутешно рыдаю, а потом, опустошенная, сижу за толстой шторой на подоконнике в теплой пижаме и смотрю в заплаканное дождем окно.

На кухне папа прощается с бабусей. Она тоненько плачет у него на плече, называет «сынок» и просит пообещать больше не пить. Папа молчит. И правильно делает: как можно пообещать вообще не пить, если мне вон даже из-за стола выйти нельзя, пока компот не выпит...

Наступает страшный момент прощания. Папа заходит в комнату, обнимает меня сзади, и мы вдвоем, обнявшись, смотрим в заплаканный двор.

Если можно было бы выбирать, когда умирать, то вот прямо сейчас я согласна. От папы пахнет бабусиной пропиткой для тортов.

— Я хочу рассказать тебе тайну, дочка, — говорит папа, не отрывая взгляда от окна. Я напрягаюсь, потому что не люблю тайны, у меня в жизни от них одни проблемы.

— Меня никто-никто не любит, — говорит папа. — Ни мама, ни бабуся... Они всегда от меня что-то хотят. Стремятся меня исправить. Не могут любить таким. Не исправленным.

Я ошарашенно смотрю на папу расширенными от ужаса глазами:

— А я? А как же я? Я люблю тебя! Я! Я ужасно люблю тебя! — У меня не хватает слов, чтобы передать, как сильно он ошибается, не чувствуя моей живительной любви, и я, рыдая, бросаюсь в папины руки. — Давай я поеду с тобой и буду сильно тебя любить, давай? Хочешь?

— Нет, дочка, поверь, тебе здесь будет лучше, — хмуро говорит папа. Он удивительно грустен навеселе.

Я расцепляю кольцо своих рук.

Почему взрослые все решают за детей?

Почему они решают, где им лучше жить?

Я смотрю в заплаканное окно.

— У меня тоже есть тайна, пап, — мне хочется поделиться с папой чем-то взамен, тем более что я устала от этой тайны. — У меня есть пять рублей. Свои собственные. Мне мама их передала, в варежке. Представляешь?

Я поворачиваюсь к папе. Папа смотрит на меня заинтересованно, его лицо оживляется. Пьеро навеселе.

— А где они? — осторожно спрашивает папа.

— В кукле. В Фенечке. Я их спрятала. Это же тайна...

Папа задумчиво смотрит на меня и произносит:

— Знаешь, а у меня вчера украли все деньги...

— Как? Кто?

— Не знаю... В магазине, наверное...

— А как же ты поедешь? Возьми у дедуси...

— Нет, я не хочу их расстраивать. Я доеду. Билет-то есть...

— Да, но...

— Страшнее другое. Я не смогу внести волшебный взнос в кассу волшебников и могу потерять свой дар...

Я бледнею от ужаса.

— А большой взнос? — в ужасе спрашиваю я.

— Пять рублей...

— Но как же! Ну у меня же есть как раз пять рублей, я сейчас дам, только не теряй дар...

Я спрыгиваю с подоконника и, забыв о конспирации, бегу к трюмо за Фенечкой под радугой грозного бабусиного взгляда:

— Отец уезжает, а она в куклы вздумала играть! Другого-то времени не будет, поди...

Я возвращаюсь к папе, по пути откручивая голову одноглазой Фенечке, засовываю пальчик в туловище и зацепляю денюжку...

Я смотрю в окно, как папа с чемоданом подходит к дедусиному «Москвичу» и, несмотря на дождь, убрав зонт, долго машет мне...

Я плачу в унисон дождю и вижу папу сквозь преломленную соленую пелену. Внутри меня удивительная смесь чувств: вместе с ощущением невосполнимой потери я испытываю... счастье, искрящее гранями чувств недолюбленного родителями ребенка.

Я помогла папе остаться волшебником!

А это значит, что на следующий год, когда я вырасту на несколько делений сантиметровой линейки и перейду в следующий класс, папа снова приедет ко мне, и уж тогда он обязательно исполнит мое самое заветное желание...

Творог

Моя мама все решения принимала за меня. И не замечала этого.

Помню, мы шли с ней по рынку, по продуктовым рядам, выбирали молочные продукты. Мне тогда было лет 15.

Я — выше мамы на полголовы.

— Ты творог будешь? — спросила мама.

— Нееет, — сморщилась я.

— Завесьте нам два кило, — сказала мама продавцу.

Я помню, как поймала в себе удивление: зачем ты спрашивала, если все равно купила?

— Я же сказала: не хочу творог, — нахмурилась я.

— Ты любишь творог, — пояснила мама.

— Да? — удивилась я. — А, ну тогда ладно.

— Да и полезный он. Там кальций.

Дома я ела творог, политый вареньем. И не знала, вкусно мне или нет. Но мама сказала, что я люблю творог. Значит, люблю.

Я не знала, как понять, что я действительно люблю и чего на самом деле хочу.

Я была не знакома сама с собой, потому что смотрела на себя глазами мамы и думала маминой головой.

Любой грядущий поступок проходил фейсконтроль «Что скажет мама».

Если маме понравится — делай, если нет — отмена миссии.

ПЕРВЫЕ НАШИ КОНФЛИКТЫ С МАМОЙ СЛУЧИЛИСЬ ТОГДА, КОГДА Я ВДРУГ ВЗЯЛА И – О БОЖЕ! – НАСТОЯЛА НА СВОЕМ МНЕНИИ.

Причем в какой-то сущей ерунде. Типа этого творога.

Просто взяла и сказала твердо: «Нет. Нет, мама, я не люблю творог!»

Мама опешила. Это плохой поступок, почти бунт. Он не прошел фейсконтроль. Мама заплакала и купила валокордин. Легла лицом к стене, накрылась одеялом.

— Когда я умру, — сказала мама, — оплачивай коммунальные платежи и подшивай квитки об оплате в зеленую папку.

Мне стало так плохо и так стыдно, что я бросилась к маме, отчаянно рыдая и умоляя ее не умирать. Ради меня.

Иметь свое собственное мнение, оказывается, очень накладно, сложно и больно. А иногда это настоящее преступление против родной матери.

А кто мне дороже: мнение или мама? Конечно, мама. Ну так и о чем мы говорим?..

Маме мешало мое инакомыслие. Даже не инакомыслие, а просто «мыслие», не в унисон ее представлениям.

Она зацеплялась за мое мнение, как за ржавый крюк. Натыкалась на него. Занозилась. Сердилась. Я быстро сдавала позиции, почуяв характерный запах валокордина.

— Я тебе только добра желаю, я жизнь прожила и лучше знаю, как надо...

«Как надо жить ТВОЮ жизнь», — мысленно заканчивала я мамино предложение.

В то время я впервые допустила мысль, что мама не Бог, а вполне себе земная женщина, которая может ошибаться.

А вдруг я не люблю творог?

Но мама говорит: люблю.

И как это вообще понять?

Шли годы. Я аккуратно знакомилась с собой, училась слушать оттенки своих чувств.

С мамой мы жили в холодной войне двух любящих сердец. Мама устраивала террор любовью, ложилась умирать после каждой стычки, включала атомный игнор, выжигающий доверие и любовь, а я отстреливалась пубертатными истериками, захлебывалась разочарованиями взрослой жизни, застегивала свою жизнь на все пуговицы: что там внутри, мама, тебя не касается.

Потом я встретила своего будущего мужа. Мне было 18 лет.

— Это не твое, — сказала мама. — Посмотри на себя и на него.

Я посмотрела. Осталась довольна. Очень даже...

— Ты его не любишь, — пояснила мама.

— Я творог не люблю, — вдруг поняла я. — А его — люблю.

— Чушь какая, вся жизнь у тебя впереди. Встретишь еще дипломата, красивого, умного... Он подарит тебе жизнь, которой ты достойна.

Мама мечтала о дипломате для меня, как о панацее от тяжелой российской действительности. Мама удивительно хорошо разбиралась в дипломатах, хотя сама тридцать лет жила с человеком, который первые десять лет был, по ее определению, неудачником, а последние двадцать — алкоголиком.

То, что я не дождалась дипломата, а ушла к «этому... замкадышу», мама расценила как предательство.

Предательство ее мечты. Она вкладывала в дочь, как в инвестпроект, который принесет дивиденды в виде скорой эмиграции в богатую и успешную страну, где жить хорошо, чисто и весело. И априори нет алкоголиков и неудачников.

Мама планировала схватиться за хвост самолета, летящего в эту сказочную страну, и улететь с дочерью. Чтобы помогать дочери думать. Точнее, чтобы думать за нее.

А тут такое. Вместо дипломата — студентик.

Вместо самолета — маршрутка до Балашихи. Ужас. Кошмар.

Мама легла на диван. Отвернулась к стене. В комнате запахло корвалолом. Это такой же валокордин, только еще более ядреный.

— Когда я умру... — сказала мама.

— ...Я буду подшивать квитки в зеленую папку, я помню, — сказала я и ушла в комнату собираться. Через три часа у меня знакомство с родителями будущего мужа. Очень волнительно.

— Ты уходишь? — мама пришла за мной в комнату.

— Ухожу!

— Куда?

— В Балашиху.

— А-а-а! — закричала мама. — Это все он, твой новый хахаль. Это он науськал тебя бросить умирающую мать и уйти на блядки.

Я молчала. А что тут скажешь?

— Ты никуда не пойдешь! — Мама распласталась в проеме двери, раскинула руки звездой.

— Ты ж умирать собиралась, — вежливо напомнила я.

— А-а-а, дрянь неблагодарная. Всю жизнь на тебя положила, всю душу вложила, а ты... А ты... В Балашиииихy....

Мама, вероятно, думала, что в иерархии кругов ада Балашиха идет сразу за чистилищем и преисподней (и в этом она почти не ошиблась), но это мне было уже неважно: у меня было свое мнение на этот счет, и я этим гордилась.

Я приехала на встречу, страшно волнуясь. Очень боялась не понравиться. На лбу — ну очень кстати! — вскочил ужасный прыщ, а моя обычная речь в стрессе превращалась в косноязычие.

— Не бойся ничего, — сказал будущий муж, видя мой очевидный мандраж. — У меня мировые родители, они поддержат любой мой выбор.

— В смысле любой? — не поверила я. — А если у меня две ходки, тату в виде дьявола, пирсинг во всех возможных губах и три неудачных брака за спиной?

— Тогда мне самому не очень понятно, почему я выбрал тебя, — засмеялся мой будущий муж. — А родители поддержат...

То есть даже если я худшая из женщин, фейс-контроль смотрин я все равно пройду?

Мне захотелось скорее познакомиться с этими уникальными родителями и понять: это такая высшая степень мудрости или крайняя форма пофигизма?

Родителям я понравилась, приняли они меня очень тепло, но я не могла записать эту лояльность на счет своей «идеальности»: меня потом все годы брака всегда бодрила мысль, что если что, мое место займет любая другая девушка, и ей так же будут улыбаться и подливать чай в гостевую чашку, потому что «поддержат решение сына».

Я проникла в семью. Прижилась. Жила, а сама «ходила» на разведку.

— Миш, а тебе не страшно было с шестнадцати лет самому принимать решения? — пытливо выспрашивала я. У меня никак не укладывалось в голове, что в тот момент, когда я не могла выбрать, люблю или не люблю я творог, мой будущий муж сам выбирал себе вуз и образ жизни.

— Еще как страшно!

— И? Как ты справлялся?

— Шел за советом к родителям.

— А они?

— А они «поддержат меня в любом моем решении».

— А если ты налажаешь? Ну, совершишь ошибку? Тоже поддержат?

— Вероятно, да.

— А если твой сын в шестнадцать лет придет к тебе за советом, ты дашь совет?

— Я обязательно помогу ему принять решение.

— Почему?

— Потому что ему страшно. Жутко страшно. Он растерян и напуган. Он начинающий взрослый. Это как с игрового тренажера пересесть за реальный руль автомобиля. И ты рулишь и понимаешь: вот сейчас все по-настоящему, и, если ошибешься, можно вылететь на встречку или сбить человека. И ты напуган, чем еще сильнее усугубляешь ситуацию, и надеешься на инструктора. А он сидит рядом, но у него нет страхующих педалей, он просто сидит и, если что, поддержит...

— То есть ты поведешь себя иначе, чем родители? Твои мировые родители?

— Я обожаю родителей. Они самые лучшие. Но они могут ошибиться, как все обычные люди, — вздохнул муж.

Не дать совета ребенку тогда, когда у тебя его просят, потому что этот совет — все равно мнение, чужое мнение, и оно не должно мешать объективности, — это... это....

Не знаю. Это сила или слабость?

Мне кажется, что во фразе «я поддержу тебя во всем», помимо очевидной мудрости не быть навязчивым и безусловной веры в своего ребенка, зашита и очень удобная местами позиция: черт его знает, как тебе поступать, твоя же жизнь, ты там сам как-нибудь разберись, а я поддержу.

Но, с другой стороны, дети у них получились чудесные, целеустремленные, очень качественные. Один мой муж чего стоит!

Дети умеют принимать решения, но делают это долго и мучительно, замачивают решение в страхе, купают в сомнениях, теряют время, ждут подсказок извне.

А я рублю сгоряча. Принимаю решения мгновенно, лелея и тихо восторгаясь своим собственным мнением. Я не боюсь. Ошибусь? Ну и ладно. А кто не ошибается?

Ну вот и как правильно?

Может, стоит взять ребенка за руку ДО и попробовать уберечь от ошибок, как делала моя мама, или все же лучше обеспечивать поддержкой по факту свершившихся проблем, окунув в самостоятельность по самую макушку?

Я не знаю. Я много думаю о золотой середине и очень хочу не шарахнуться в какую-то крайность, не увязнуть в категоричности, не застыть в янтаре всезнайства.

Вчера мы с семилетним сыном зашли в кафе перекусить.

— Я хочу голубцы, — сказал сын.

— Ты их не любишь, — ответила я. — Там же капуста вареная...

— Ну тогда котлеты с макаронами.

— Да ну, неизвестно, что в них навертели, в эти котлеты, а макароны мы на завтрак ели. Возьми шашлык, это хоть понятный кусок мяса. С картошкой.

— Я не хочу шашлык, — опечалился сын.

— Ты любишь шашлык, — сказала я.

И вдруг меня прожгла мысль: я веду себя как мама!

Я лучше знаю, что он хочет, и совсем его не слышу. Я диктую ему, что он любит, проветриваю его собственные мысли и надеваю свое бесценное мнение на его белобрысую макушку так глубоко и так надежно, что можно не сомневаться: растет мамин сын.

Подошел официант принять заказ.

— Шашлык с картошкой, — пролепетал мой сын, и я чуть не заплакала от досады и злости на себя.

— Дась, прости меня, ты же хотел голубцы? Закажем голубцы, — сказала я и добавила, обращаясь к официанту. — Только распеленайте их от капусты вареной, а то он ее не любит.

— Ой, тогда получатся такие... вареные котлеты, — улыбнулся официант.

— Я не хочу вареные котлеты. Я бы обычную котлетку съел, — говорит сын. — И макароны.

Официант смотрит на меня, я киваю, подтверждая заказ.

Когда мы остаемся вдвоем, я говорю сыну:

— Дась, ты прости меня, что лезу иногда со своим мнением. Я просто никак не привыкну, что ты уже взрослый и сам можешь делать выбор.

— Мам, я просто очень люблю макароны. Больше картошки, риса и даже гречки. Еще я арбузы люблю. Очень.

— Это очень хорошо — точно знать, что ты любишь, — улыбаюсь я. — Это просто замечательно! Всегда-всегда стой на своем мнении, если уверен в нем, понял, сын?

И добавляю, подумав: «А я всегда поддержу тебя в любом твоем решении...»

Вши

Мне было семь, и я была красавицей. Так говорили бабуся, дедуся и мама. Больше так никто не считал.

Самое красивое во мне — это волосы. Длинные, русые, густые, волнистые.

Если волосы распустить и расчесать, они получались ниже попы, а если еще и запрокинуть голову — вообще почти по колено. Красота!

Все, кто видел, замирали от восторга. Хотели себе такие же.

Глупые, они просто не знали, что длинные волосы — это не только красиво, но и очень больно. Только «красиво» видно всем, а «больно» — только мне.

Получалось, что я стараюсь для всех, в частности для бабуси, дедуси и мамы, а для себя у меня остаются только тяготы ухода за капризными и непослушными «питомцами».

Ходить с такими длинными распущенными волосами ужасно неудобно: они за все задевают, цепляются и секутся. Поэтому чаще всего бабушка делала ровно посередине моей головы прямой пробор, делила волосы поровну и заплетала косу. Настоящую русскую косу, «в кулак толщиной», как горделиво сообщала бабуся.

На самом деле гордость бабушки была более чем уместна: мои волосы — это исключительно ее заслуга.

У самой бабуси волосики были реденькие и скромные, никак не желающие жить в жиденьком пучке на макушке, вечно теряющие шпильки и уже через пару часов после мытья превращающиеся в жирные седые сосульки.

Дети — заложники биографий родителей, вот почему бабуся с почти фанатичной влюбленностью растила мою шевелюру.

На дворе — 80-е годы. Ни о каких бальзамах для волос, облегчающих расчесывание, еще не слышали.

Бабуся сама, собственноручно, собирала травяной букет из крапивы, череды и еще каких-то чудодейственных трав, засушивала на балконе и заваривала этот сбор кипятком. Таким отваром полагалось смывать волосы после мытья (обычным мылом, кстати), что делало волосы сильными и блестящими.

Потом начиналась главная пытка моего детства. Бабуся брала расческу...

Гребень остервенело вгрызался в мои беззащитные влажные волосы в районе макушки и отчаянно спешил вниз, но застревал где-то посередине, обрастая колтуном спутанных наэлектризованных волос, но бабушка с силой продолжала тянуть его книзу, безжалостно причиняя боль, дергая мою голову назад с такой силой, что после расчесывания всегда болела шея.

Наконец гребень выбирался из водопада волос, и между зубчиков всегда оставался клок пленных волос, выдранных заживо с корнем из моей головы.

Экзекуция происходила прямо в ванной: я, голая, стояла, повернувшись к бабушке беззащитной спинкой, отчаянно мерзла и скулила от боли.

Расчесывание занимало около часа.

Если бы кто-нибудь из взрослых удосужился бы спросить меня о прическе, то очень удивился бы, узнав, что я свои волосы ненавижу и исступленно мечтаю о короткой стрижке.

Вот уже второй месяц я хожу в школу. Мне там категорически не нравится: мне там скучно. В школе учат буквы и цифры, рисуют палочки-кружочки-закорючки, готовят руки учеников к письму. А я с четырех лет умею читать, считать и писать, а с шести — самостоятельно вывожу письма-сочинения маме в столицу.

Мои родители живут в Москве, и, по официальной версии, у них пока «нет возможности забрать меня к себе».

В понедельник в школе начался переполох. Учительница сказала, что начальные классы, скорее всего, закроют на карантин, потому что в школе, да и во всем городе, началась необычная эпидемия.

По-научному она называлась педикулез, по-простому — вши.

Поговаривали, что сначала во все аптеки завезли дорогущее немецкое лекарство от этой напасти, но его никто не брал, а потом случилась (очень кстати для фармацевтов) эта эпидемия, и лекарство расхватали, как горячие пирожки.

В моих красивых и густых волосах вши чувствовали себя особенно вольготно, они селились колониями по всей длине волоса и щедро откладывали яйца. По-научному эти яйца назывались гнидами.

Бабушка почернела от ужаса. Ее краса, ее гордость, ее страсть была оккупирована мерзкими бесцветными насекомыми.

— Гнида! Гнида! Гнида! — рыдала бабушка, обнаруживая каждую новую кладку яиц вшей. Я вжимала голову в плечи, подозревая, что частично бабуся обращается и ко мне тоже, возлагая ответственность за то, что я не уберегла волосы. Но как было уберечься, если болеют все, непонятно.

Бабуся объявила вшам войну. Полигон для военных действий — моя голова. Мнение полигона, естественно, никого не интересовало.

Пытки расчесыванием стали ежедневными. Бабуся исступленно вычесывала вшей и гнид из волос по три-четыре раза в день специальным гребнем. Мочила мне волосы в дихлофосе, керосине и уксусе, потом надевала мне на голову специальную шапочку и говорила: «Походи, сколько выдержишь, пусть они задохнутся».

Я ходила и не выдерживала. Я прямо слышала, как копошатся под шапочкой в предсмертной агонии эти насекомые, как, умирая, впиваются безжалостно в голову, как зверски зудят укусы.

Я забивалась в угол и скулила от боли. Хотелось содрать с головы шапочку и расчесать голову в кровь.

Через два часа бабушка разрешала снять шапочку и смыть «лекарство» земляничным мылом и раствором калины.

Потом снова наступала пытка расчесыванием.

Несмотря на комплексное лечение, всегда находились особо живучие особи, которые откладывали новые яйца. Борьба длилась уже вторую неделю и была совершенно безрезультатной.

Я потухла, похудела, подурнела. На улицу не ходила. Большую часть времени была безрадостна и воняла керосином.

Бабушка, наоборот, была полна решимости продолжать борьбу.

В конце октября ко мне из столицы прилетела мама. Она обещала прилететь еще к 1 сентября и проводить меня первый раз в первый класс, но не смогла, и вот прилетела только сейчас.

Я очень ждала маму и совсем на нее не сердилась. Моя любовь, в знаменателе которой было расставание и расстояние, крепла в своей безусловности с каждым днем.

Мама вошла в квартиру и ахнула: ее пухлая, круглолицая, розовощекая девочка превратилась в завядшую сгорбленную старушку, смердящую уксусом, с выключенными глазками и впалыми щечками...

— У нас беда, Нина, — сказала маме вместо приветствия вышедшая в коридор бабуся тоном, которым вполне уместно объявить о смертельном диагнозе ребенка. — ВШИ!

— Господи! — выдохнула успевшая испугаться мама. — А я уж подумала!.. Ну вши — это не приговор. Можно попробовать вывести, а если не получится — обрезать волосы и не мучить ребенка...

Бабуся потемнела лицом. Мама своими бездумными словами только что обесценила ее семилетний труд по взращиванию моих волос, признала бабусю проигравшей в войне со вшами и фактически предложила капитулировать, отдать полигон боевых действий этим отвратительным насекомым...

— Ребенок не понимает и еще долго не поймет своего счастья — иметь такие волосы. Вам-то, я смотрю, все просто: обрезать проще, чем бороться, бросить проще, чем растить...

Теперь уже бабуся мстительно топталась на больных маминых мозолях: я по договоренности была отвезена на воспитание бабусе и дедусе в возрасте одиннадцать месяцев, и вот уже шесть лет мама никак не решалась забрать меня к себе в столицу... На постоянно задаваемый мной вопрос: «Почему?» — мама отвечала расплывчато, по-взрослому: «Нет такой возможности».

В семь лет такой ответ никак не приближает ребенка к осознанию истинных причин отказа.

Бабуся и дедуся любили меня строгой воспитательской любовью. Возможно, решись мама забрать дочь, они бы и не отдали меня без боя, но аргумент о невероятном одолжении, которое они делают, взращивая меня у себя, тем самым развязав руки маме, был убийственным и не предполагал наличия контраргументов.

Мама обиделась и ушла плакать на балкон. Я немедленно отправилась за ней — жалеть и успокаивать.

Я любила бабусю и дедусю, с которыми жила всю свою жизнь, но каждый раз, когда приезжала мама, я вела себя как предательница. В любом споре я по умолчанию занимала сторону мамы, защищала ее, обнимала, словом, делала все, чтобы доказать маме свою безусловную любовь.

Ближе к вечеру мы с мамой отправились гулять по городу. Погода для октября стояла необычно нежная и теплая, не требующая шапки и зонта.

Я шла по набережной, доверчиво вложив одну ладошку в мамину руку, а второй, сама того не замечая, постоянно чесала голову, практически не вынимая руки из волос.

МАМА ШЛА РЯДОМ И РАЗДРАЖАЛАСЬ. ОНА ВИДЕЛА ДОЧЬ СЛИШКОМ РЕДКО, ЧТОБЫ ВОТ ТАК СРАЗУ ПРИНЯТЬ В НЕЙ ВНЕШНИЕ НЕДОСТАТКИ.

А ведь любой маме хочется быть мамой принцессы, а не прыщавенькой, кривозубенькой, полненькой, неуклюжей девочки с проблемным пищеварением и неистребимым запахом уксуса от волос.

— Так, хватит! — вдруг резко сказала мама и остановилась посреди набережной, оглядываясь по сторонам. — Решено! Мы вот прямо сейчас идем в парикмахерскую! Где здесь ближайшая, не знаешь?

Я махнула рукой в сторону серого трехэтажного здания с надписью «Дом быта».

Не прошло и часа, как я обрела новую стрижку. Волосы обрезали по лопатки и обработали специальным противопедикулезным средством.

Я была напряженно счастлива. Прислушивалась к новым ощущениям: с непривычки мерзла шея, а голова, не чувствующая привычной тяжести волос, была легкой и воздушной.

Когда мы вышли из парикмахерской, уже насыщенно стемнело — бабуся с дедусей наверняка волнуются, места себе не находят, надо спешить.

Всю дорогу до дома я проскакала вприпрыжку, а мама испуганно молчала, изредка тяжело вздыхая.

Еще в лифте, под блеклой потолочной лампой, стало понятно, как сильно мама боится. Боится бабусиного гнева. Она была бледна и неистово кусала губы.

Я мгновенно переняла мамино состояние и прямо там, в лифте, погрузилась в вязкое болото страха.

...Бабушка вышла в прихожую, вытирая руки о кухонное полотенце, и остолбенела. Я вжалась в стену и опустила голову. Обстриженные волосы виновато повисли, прикрывая мое готовое к слезам личико.

У бабуси затряслись губы, и она тихо-тихо и оттого зловеще произнесла по слогам:

— У-би-рай-тесь от-сю-да ВОН! Обе!

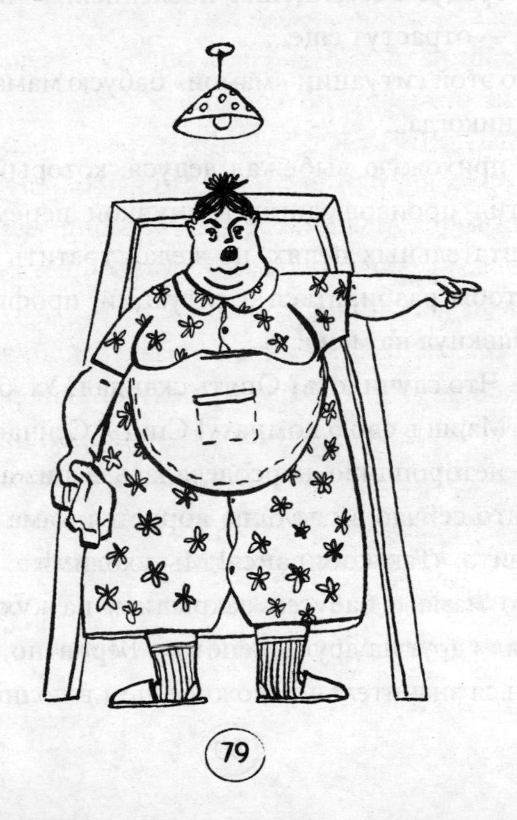

Во мне взметнулась неожиданная радость. Я решила, что теперь маме придется немедленно собрать свой еще толком и не распакованный чемодан и, взяв меня за руку, забрать с собой в столицу, а не выдумывать причины, почему и в этот раз «нет такой возможности».

— Ну ладно вам... мама, — примирительно сказала мама бабусе, идя за ней на кухню, чтобы сгладить градус возмущения последней. — Волосы не зубы — отрастут еще...

До этой ситуации «мамой» бабусю мама не называла никогда...

В прихожую выбежал дедуся, который даже не заметил произошедших с внучкой перемен, но в воспитательных целях, не желая тратить время на то, чтобы разбираться в ситуации, профилактически рявкнул на меня:

— Что случилось? Опять скандал? Ух, бабье царство! Марш в свою комнату! Спать! Сейчас же!

Я неторопливо переодевалась в пижаму, надеясь, что сейчас в спальню ворвется мама и скажет деловито: «Так, собирайся! Мы уходим!»

Но мама с бабусей закрылись на кухне и там кричали друг на друга шепотом. Вероятно, шепотом ругаться значительно сложнее, чем в полный голос, но так они оберегали домашних: не макали дедусю и меня в волосяное месиво их конфликта.

Я лежала под одеялом и страстно мечтала о скандале, чтобы возмущенная бабуся с растрепанными жидкими седыми волосами, размахивая кухонным полотенцем, выгнала нас с мамой из дома в ночь и желательно в дождь, и чтобы мы вдвоем с мамой брели на вокзал за билетами на поезд, который увезет нас в столицу, и чтобы мама плакала и всхлипывала тихонько, как сегодня на балконе: «Больше никогда!» — а я бы обнимала ее за талию и грела мамины холодные ладони о свои разгоряченные щечки...

Но разговор на кухне уже тек мягкий, и, судя по его неторопливому журчанию, скандал был исключен, утоплен в женской солидарности и зове родной крови...

Я не выдержала (все равно не спится) и вышла к ним в кухню.

— ТЫ ЧТО БОСИКОМ? — в один голос рявкнули мама и бабуся.

Они сидели на плотно сдвинутых табуретках, уютно обнявшись, на столе — натюрморт из почти пустой бутылки коньяка и фирменных бабушкиных пирожков с капустой.

— Мы не уезжаем? — хмуро спросила я у мамы.

— Никто никуда не уезжает, — улыбнулась мама рассеянно.

— Бабуся же выгнала нас! — напомнила я.

— А ей так даже хорошо, да? Модно и свежо... — спросила мама у бабуси, кивнув на меня.

— Непривычно пока, — не сразу ответила бабуся, глядя на меня несфокусированным взглядом. — Но я привыкну... Вырастим новые... Еще лучше прежних!

Это «вырастим» означало, что растить новые волосы мне снова предстоит с бабусей, а не с мамой.

— Ты нас выгнала, — холодно напомнила я бабусе. Мне не хотелось примиряющих объятий, которые сохранят статус-кво и отпустят маму в столицу одну...

Но захмелевшая бабуся не заметила предательства, она сдула со лба выбившуюся из пучка седую прядь и с трудом, уже ватным языком, ответила мне:

— На вот, съешь пирожок, детка...

Я вернулась в спальню, зарылась лицом в подушку и горько и безутешно разрыдалась. Я чувствовала опустошение и ярость. Ярость рвалась наружу, требовала заряженного гневом действия или слова.

— ГНИДА! — неожиданно для самой себя вдруг сказала я подушке и врезала ей кулачком в мягкий живот. — ГНИДА! ГНИДА! ГНИДА! ГНИДА!

Мама вбежала в спальню, силой оттащила меня, рыдающую, от подушки и больно прижала меня к себе.

От мамы пахло коньяком и капустой. С таким запахом изо рта очень уместно произносить виноватым голосом фразу: «Нет такой возможности!» — а не успокаивать истерящего ребенка, кутая его в заботу.

Мне впервые в жизни захотелось оттолкнуть мамины руки, отстраниться от нее, пытливо и с вызовом посмотреть ей в глаза и спросить твердо:

«Ты меня заберешь? Или опять нет возможности?»

Но я не стала этого делать, лишь обессиленно обмякла в маминых руках, потому что знала ответ и ненавидела его не меньше, чем волосы.

Ненавидела за то, что если обрезать его, этот ответ, по лопатки, по самую суть, то останется короткое и хлесткое слово, от которого мерзнет шея, которое пахнет коньяком, дихлофосом и предательством: НЕТ!

Желтые сапоги

Я купила сыну желтые резиновые сапоги. Со смешными мультяшными героями.

На дворе — слякотная весна, самое время мерить глубину луж.

Вернувшись домой, я позвала сына:

— Дась, пойдем гулять?

Сын выстрелил в мои распахнутые руки из детской и запрыгал вокруг от переполняющего счастья: «Гу-ять, гу-ять». Я стала прыгать вместе с сыном, разделяя его восторг. Мимо нас прошла моя мама. Она всегда недовольна положением дел. Это главная черта ее характера.

— Вы скачете тут, как два слона. А под нами люди живут.

— Так три часа дня. Мы имеем полное право шуметь.

— У вас одни права, я смотрю, а у всех остальных — обязанности, — съязвила мама. Я же говорю, она всегда недовольна.

— Баба, мы гуять! — пояснил Дася, показывая бабушке новые желтые сапоги.

— Пододень ему шерстяные носки, он отморозит ноги, — велела мне мама.

Моя мама, как и все мамы, сформированные в советском обществе, считает свой опыт бесценным и щедро раздает советы по материнству. Основные заповеди: накорми и закутай — нужно соблюдать неукоснительно.

— Мам, сегодня плюс двенадцать. Солнце шпарит. Все плюс пятнадцать на солнце! Все тает и течет. Какие шерстяные носки? Зачем?

— Он отморозит ноги, — повторила мама свою последнюю фразу с интонацией: «Я кому сказала!»

— Мам, для чего ты пророчишь всякую гадость? Зачем даже слова такие в космос произносишь? Скажи просто: я переживаю, чтобы он не замерз. А ты сразу с диагнозами! Сразу обморожение! В плюс пятнадцать!

— Потому что отморозит!

— Я смотрю, ты меня услышала, — вздыхаю я и иду собирать сына.

— Тает снег, снег холодный, ты хочешь трехлетнего ребенка засунуть в сугроб в резиновых холодных сапогах без шерстяных носков! Он отморозит ноги!

— Да? Ты, мам, тогда не мелочись. Расскажи, как его положат в больницу с гангреной, — ерничаю я. Да, я тоже не железная, а очень даже тряпичная и раздраженная, если довести.

Я хочу быстрее одеть сына и выйти на улицу, потому что находиться в ауре маминого недовольства, которое я ощущаю физически, невыносимо. Я его почти вижу. Как смог. Как дым от сигарет.

Мама курит. И я. Пассивно курю. Я просила маму бросить курить к рождению внука. Она обещала, но не бросила. Теперь мы с сыном вдвоем пассивно курим мамины сигареты.

Я натягиваю сыну теплые колготки, спортивный костюмчик, непромокаемый комбезик и — вуаля! — новые сапоги!

— Ну как тебе, не жмут? — спрашиваю я довольного сына, разглядывающего картинки на сапожках.

— Нет! — сын довольный, прыгает в сапогах, чтобы показать мне, как ему не жмет.

— Не прыгай, Дась, пожалуйста. Пока мы гостим у бабушки, на ее территории, надо соблюдать ее правила. Сейчас вот выйдем на улицу — и там напрыгаемся от души!

Дася доверчиво устраивает свою ладошку в моей руке, и мы весело идем на улицу.

По пути мы едем на лифте, и я объясняю сыну, что в лифте прыгать нельзя.

— Это тоже бабина телитолия? — уточняет сын.

— Не совсем. Это общая территория. Но есть места, где нельзя прыгать, потому что это опасно. Например, лифт. Лифт возит людей, а сам он висит на тросе, и если люди будут прыгать, то трос оборвется, и лифт может упасть. Поэтому прыгать небезопасно.

— А у бабы почему низя плыгать? Что у бабы оболвется?

— У бабы нервы оборвутся, — бормочу я, а вслух говорю. — Дась, давай так. Будем считать, что прыгать у бабы в квартире тоже небезопасно, потому что наш пол — это потолок для тех, кто живет ниже. И если мы с тобой будем скакать, как слоны, он провалится, и мы упадем к соседям снизу.

— Так под нами ж Петька зивет. У него зе лего есть. И самоётик! Очень хоёшо, если пловалимся.

— Это очень плохо, Дась. Потому что очень больно. Лететь-то целый этаж. Будет больно, как тогда, когда ты с качелек упал.

Дася поджал губки. Он вспомнил то легендарное падение и потер лоб, на котором целых две недели сиял фиолетовым цветом огромный фонарь.

— Я не буду плыгать у бабы. Это опасно. И бойно.

— Вот и правильно.

Тем временем мы подошли к детской площадке. На ней было по-весеннему грязновато. Ни с горки покататься, ни на лестнице полазить. Под качелями был целый бассейн грязной подтаявшей жижи.

Дася остановился в недоумении.

— Мам, а что зе делать-то? Мозно я плосто по лужам побегаю?

— Конечно! Я для этого и купила тебе новые сапоги!

— Ула! — закричал сын и стал скакать по лужам. Каждый его прыжок создавал салюты брызг, которые приводили сына в восторг.

Мимо шла женщина лет пятидесяти. Она была в забавной зелено-коричневой шляпе и таком же болотном пальто. Очень похожа на Рину Зеленую в роли Тортилы, только потолще и помоложе.

— Мальчик! Что ты творишь! Ты же сейчас в лужу упадешь! — всплеснула руками женщина. — Куда смотрят твои родители!

Последнее предложение она произнесла, адресуя его мне, видимо, решила, что я не родитель, ибо посчитала, что, будь я в своем уме, я бы в жизни не позволила ребенку скакать по лужам.

— Родители смотрят за сыном. — Я приветливо улыбаюсь женщине.

Тортила так опешила, что поставила свою сумку на подсохший островок асфальта.

— Ваш ребенок скачет в луже! Вы не видите?

— Вижу.

— А почему не делаете ему замечание? Он же скачет в луже!

— Он скачет, потому что хочет.

— Что значит хочет! Мало ли что он хочет!

— Очень важно, что он хочет. Это, можно сказать, самое важное!

— А если он захочет спрыгнуть с девятиэтажки?

— Тогда я объясню ему, что такое смерть, и он перехочет.

— А если он курить захочет?

— То же самое. Я не буду запрещать, я просто объясню. А выбор он сделает сам. И если он выберет курить и рак легких — ну что ж, это его выбор.

— А я бы ему губы разбила.

— А я не бью детей. Насилие не эффективно.

НАСИЛИЕ – ЭТО АВТОРИТЕТ, ПОСТРОЕННЫЙ НА СТРАХЕ. Я ЖЕ ХОЧУ ПОСТРОИТЬ СВОЙ АВТОРИТЕТ НА УВАЖЕНИИ.

— Начитались модных книжек, — громко и осуждающе вздыхает Тортила.

— Модные книжки пишут родители с хорошими педагогическими результатами, — поясняю я. — Вот вы почему не написали книжку о том, какими молодцами получились у вас дети с разбитыми губами?

— Некогда потому что! Я работаю! А сын у меня с золотой медалью школу окончил, а потом институт с красным дипломом. А дочка — врач. Грамоту недавно получила.

— Это классно. Значит, напишите книжку про то, какая вы классная мать. А если вам некогда, пусть ваши дети напишут.

Женщина смотрит на меня озадаченно. И добавляет тихо:

— Не напишут они...

— Им тоже некогда?

— Нет. Они не считают меня хорошей матерью. Ругаемся только. Постоянно ругаемся. Разъехались по разным городам, сбежали от меня. Будто от прокаженной. Внука только на фото вижу. А ему уже три года, как вашему. Вашему же три?

— Три будет в июне. Как вы думаете, почему вам не везут внука?

— Потому что зять настроил дочку против меня. Муж у нее придурок.

— Не-е-ет. Ваша дочка взрослая тетя. Как ее можно настроить? У нее же своя голова на плечах. Она взрослая, она же мама! У нее уже свой ребенок. Она просто не хочет у своего ребенка разбитых губ. Свои запомнила навсегда.

— Ой, ну что вы привязались. Я не так часто их лупила.

— Да это неважно. Я образно. Я вот тоже не очень хочу приезжать к маме. Потому что я еду не гостить, а слушать воспитательные беседы про то, какая я плохая мать, какой ужасный у меня муж, и все это в сигаретном дыму. И бесполезно просить не курить. Маме неважно, что хочет ее дочь. «Мало ли что она хочет!» — думает моя мама, а потом удивляется, почему я редко приезжаю. Это я к тому, что вы не одна такая. Я просто хотела вам показать, как выглядит этот ваш посыл глазами ребенка. То есть уже даже не ребенка. Очень важно не отмахиваться от того, что хочет ваша дочь. Не отмахиваться и не замахиваться. Потому что **в материнском авторитете не должно быть страха. Только уважение и любовь, но не страх**. Поэтому так важно слышать, что они хотят, ваши дети. Вот вам сколько лет?

— Мне? — удивилась Тортила. — Пятьдесят четыре.

— Вам хочется прыгать по лужам?

— Я взрослая женщина...

— Хочется?

— Нет, конечно!

— Во-о-от. Мне тридцать — и то не хочется. Потому что хочется именно в три года. Так и пусть прыгает! Уже через тридцать лет ему просто не захочется, понимаете?

— Но он же сейчас упадет!

— Блин, вы опять как моя мама говорите. Если бы она сейчас с нами гуляла, то же самое бы сказала!

— Конечно! Он же упадет!

— Вот зачем вы пророчите падение? Хотите предостеречь? Просто скажите: «Будь осторожен!» Почему сразу «упадет, ударится, убьется»? Что за страсть к худшим сценариям? Вы как самураи, которые, вступая в бой, проживают худшие сценарии схватки (то, что их убьют) и потом уже дерутся так, как будто им нечего терять. Моя мама, например, провожая нас, анонсировала сыну обморожение, вы — падение. Зачем? К чему пророчить плохое?

— Ну а как же? Ведь сопли лечить потом вам? Неужели хочется?

— Не хочется. И я не буду этого делать, потому что не кликаю беду, а значит, сын не упадет, не отморозит ноги и не заболеет.

ВСЕЛЕННАЯ ПРИНИМАЕТ ЗАКАЗ, КОТОРЫЙ МЫ ЕЙ ПОСЫЛАЕМ, ПОНИМАЕТЕ?

У нас за спиной стоит ангел-хранитель и записывает все то, что мы произносим. Если произносить «упадет» и «сопли», то ваш заказ будет тут же выполнен, а значит, ваш сопливый ребенок немедленно упадет. Если же говорить: «Прыгай, сынишка, смотри, какие брызги!» — то всем будет весело. Даже ангелу-хранителю.

— Весело и мокро...

— Ну и мокро, да. Куда ж деваться! Весна все-таки. Весна-а-а! А мы сегодня купили эти чудесные желтые резиновые сапоги!

Тортила молчала. Думала о своем.

— На самом деле эти сапоги по акции стоят совсем не дорого, — говорю я в сторону, будто просто рассуждаю. — Вот в том магазине, через дорогу, на втором этаже... Вы знаете размер ножки внука? Может, купить ему резиновые сапожки, позвонить дочери и сказать: «Привези на выходные мне внучка, а то мы весну пропустим, а у нас тут такие чудесные лужи!»

— Она не привезет...

— Хм. Ангел-хранитель записал... Не привезет.

— Куда я их потом дену, эти сапоги?

— Вот опять. Самурай. Вы думаете о плохом. Еще ничего не случилось, а уже все плохо. Не привезет в эти выходные — привезет в следующие. А если не успеет весной, привезет летом. Резиновые сапоги — это вообще вещь внесезонная. Я бы на вашем месте купила. И сказала бы: «Дочка, милая, я люблю тебя. Я очень хочу видеть внука. У меня для него подарок, который будет ждать его столько, сколько нужно...» И дочка услышит. И привезет внучка. А даже если и нет, то, знаете, эта тысяча рублей, потраченная на сапоги надежды, того стоит. Надежда, знаете, вообще бесценна.

Тортила отвернулась, смотрела вдаль. Не хотела, чтобы я видела ее слезы.

Мимо пронесся мой счастливый сын. Он немного подслушал нашу беседу. Спросил у меня:

— Мам, а что такое ангел-хринитель?

Я засмеялась.

— Ангел-хринитель — это тот, кто исполняет только плохие мечты и запросы...

Тортила уже смотрит на моего сына и улыбается:

— Ну как там, в луже?

— Вон в той лутьсе всего, — машет ладошкой Дася. — Там глубоко...

— Может, скоро к тебе друг приедет. Ванечка. Будешь с ним играть?

— Буду! Я люблю длузей. А сколько ему годиков? А у него есть самоёт? Или лего?

— Ему три годика, а про самолет я не знаю... — растерялась Тортила.

— А ты узнай! — дал задание Дася.

— Хорошо. Обязательно узнаю. — Тортила машет Дасе рукой, подхватывает свою сумку и уточняет у меня: — На втором этаже, да?

— Да, магазин через дорогу, — киваю я. — Очень хотим познакомиться с Ванечкой! И даже если у него нет самолета, мы будем с ним дружить.

— Спасибо, — говорит женщина.

Тортила — это хороший и добрый персонаж. Надеюсь, она будет такой же бабушкой.

— Дась, домой идем?

— Есе пять минуточек, — торгуется сын.

— Хорошо. — Я киваю ему и, пока он самозабвенно с разбегу прыгает в лужу, звоню мужу.

— Ну как вы там? — спрашивает муж. Он скучает, пока мы гостим у бабушки.

— Мы отлично. Шастаем по лужам в новых желтых сапогах. Планирую завтра купить сыну лего и самолет. Он хочет, как у соседа.

— Хорошо, что у соседа нет «Бентли» и сапфирового колье, — шутит муж, — а то есть риск, что сын тоже захотел бы...

Я смеюсь. Я очень люблю мужа за легкость и чувство юмора.

Тут Дася с разбега, не рассчитав сил, спотыкается и падает в лужу.

Я подбегаю и, убедившись, что он не ударился, а только испугался, начинаю звонко причитать:

— Ну Да-а-ася, ну сколько мо-о-ожно говорить: не надо купаться в луже, в луже купаются поросята, а мальчики — дома, в ванной, а ты опять все перепутал! Хрю-хрю!

Сын смеется вместе со мной, я подхватываю его из лужи и бегом бегу домой.

Мама открывает дверь, видит грязного и мокрого сына у меня на руках, который весело ей говорит:

— Хрю-хрю!

Мама закатывает глаза:

— Я так и знала! Быстрее в ванну!

Я раздеваю хохочущего сына прямо в прихожей. Он прямо заливается. У детского смеха часто нет причины. Просто смешинка счастья в рот попала.

— И ничего смешного, — говорит моя мама. Гасит хорошее настроение.

Я беру сына на руки и, громко топая, бегу с ним в ванную.

— Мама, не бегай и не топай, как слон. Мы у бабы. Это опасно и бойно.

— Что? Что он говорит? Ты настроила внука против меня?

— Мам, успокойся. Я никого не настраивала, он, наоборот, имеет в виду, что нужно выполнять твои правила на твоей территории.

— Все ясно, — причитает мама. — Мать у тебя плохая, мать мегера, бессовестная ты, неблагодарная... — Мама уходит в комнату плакать над своей тяжелой судьбой.

Я вздыхаю и засовываю ребенка под горячий душ, даже намыливаю ему голову... Ну а что? Вместо вечернего купания сразу...

Дася ловит языком капельки воды и говорит задумчиво:

— Наверное, у бабы тозе ангел-хринитель...

Балет

В детстве я страдала от лишнего веса, сутулости и косолапия.

Я вся как бы стремилась нырнуть внутрь себя: ручки в замочек, ножки — носочек к носочку, неосознанно ссутуленная спина, голова вжата в плечики, будто в ожидании подзатыльника.

Мне никто никогда не давал подзатыльников. Максимум могли отшлепать, поставить в угол, сказать что-то досадное. Тем не менее я все равно словно пряталась от всех в свою раковинку, где цвела рассада для будущих комплексов и психологических проблем.

Сегодняшние взрослые, свернутые на понятиях «синдром дефицита внимания ребенка», «гиперактивность» и тому подобных нюансах, обязательно считали бы эти симптомы с поведения ребенка и увлеченно принялись бы их лечить, но раньше такого не было: ребенок хорошо ест и нормально учится, а значит, здоров.

Бабуся придумала отдать меня на хореографию: в Доме пионеров как раз открылся такой кружок, а для льготников — бесплатно.

Я живу без родителей, хотя они живы, здоровы и проживают в столице, но об этом говорить не обязательно: важнее статус льготника, чем торжество справедливости.

Работаем на прибеднение. Как не принять в кружок балета девочку-сиротинушку?

Хореография была призвана убить сразу трех зайцев: выпрямить спину, развернуть стопы и скинуть лишний вес.

Бабуся позвонила маме в Москву будто бы посоветоваться. На самом деле смысл звонка был совершенно другим: «Смотри, кукушка, как много мы с дедом делаем для внучки».

Мама горячо поддержала идею с хореографией. Ей, как любой маме, нравилось думать, что ее дочка не просто сказочно хороша, но еще и стройна, как балеринка, танцующая в старой шкатулке под плачущие звуки шарманки.

МАМАМ, ОСОБЕННО ЖИВУЩИМ В РАЗЛУКЕ С ДЕТЬМИ, СЛОЖНО БЫТЬ ОБЪЕКТИВНЫМИ И ВИДЕТЬ НЕДОСТАТКИ СВОИХ ОТПРЫСКОВ.

Я слушала разговор, точнее приговор, и сокрушалась: мама, видимо, совсем забыла, какая я толстая и как нелепо я буду смотреться в балетной пачке.

Хотя пару месяцев назад дедуся водил меня в фотоателье, где меня фотографировали за руку с зубастым, но улыбчивым крокодилом Геной.

На фотографии я вышла особенно толстенькой, напуганной и невероятно грустной, и бабуся, отправляя фото маме в конверте с маркой, все причитала:

— Ну что, сложно было улыбнуться? А то выражение лица, как будто тебе еще год срок мотать на каторге добавили, а семь уж отмотала...

Я жила с бабусей и дедусей восьмой год...

Учительницу хореографии звали Инга Всеволодовна. Мне это имя казалось холодным и отталкивающим. Как будто с лестницы скинули рояль, и он скачет по ступенькам, тренькая: «Все-во-ло-довна...» И сама учительница, стройная, тонкая, с длинной морщинистой шеей и зачесанными в тяжелый седоватый пучок волосами, производила впечатление неприступной и высокомерной женщины.

Каждое занятие начиналось с разминки. Пяточки вместе, носочки врозь, из первой позиции, начали, и-и-и...

— Так, стоп! — Инга Всеволодовна раздраженно подергивала плечом. — Савельева, это батман или у тебя ногу судорогой свело?

Я опускаю глаза. Я очень стараюсь, но балетный класс, по всему периметру отделанный зеркалами в полный рост, с первой минуты занятия выдает безжалостную очевидность: на фоне нежных дюймовочек в купальничках, моих одногруппниц, я выгляжу как перекачанный Винни-Пух, которого с трудом впихнули в купальничек, который, не ровен час, скоро порвется на тысячу лоскутков под давлением моего объемного тельца.

Все занятие Инга Всеволодовна дергает меня, сбивая меня с ритма и высмеивая мою неуклюжесть.

— Савельева, это танец лебедей, а не бегемотов. Ты что-то перепутала...

— Снежинки прыгают, Савельева тоже прыгает, но только так, чтобы пол не проломить...

И, наконец, финал занятия. Последняя пытка.

— Савельева, когда будем худеть?

Зачем женщина бальзаковского возраста задает этот вопрос восьмилетнему ребенку каждое занятие при всей группе? Я не несу никакой ответственности за свой рацион, я кушаю то и тогда, что и когда приготовит бабуся.

Бабуся же — кулинарная мастерица. У нее дар. Продуктовая чуйка. Она бесподобно печет булочки с корицей и варит нежный холодец. Она строга и заставляет доедать все до конца. Первое, второе и компот. С булочкой.

Где уж тут похудеть?

Не правильнее ли поговорить о похудении с дедусей и бабусей или не деликатнее ли сказать то же самое мне самой, но тет-а-тет, без лишних ушей?

За что эта немолодая, но молодящаяся балерина мстила мне? За то, что она не прима? За Дом пионеров маленького провинциального городка — единственное место, где пригодился ее очевидный только ей талант? За шею, не скрывающую уже безжалостный возраст, но назло всем вытянутую в привычную балетную позицию — вздернутым подбородком чуть вправо и вверх?

Я стою, опустив глаза, и не знаю, что ответить.

— Ко-гда бу-дем ху-деть, Савельева? — ухал рояль по ступенькам.

— Я... я... я... не знаю. Я буду стараться...

— Ты уже два месяца стараешься. Скоро отчетный концерт. А я даже на танец снежинок не могу тебя поставить. Посмотри на себя, какая ты снежинка? Ты нижний ярус снеговика!

Девочки, мои одногруппницы, в розовых купальничках, белых пачечках и бежевых пуантиках с атласными ленточками, нестройно и подобострастно захихикали.

Потом, в раздевалке, они будут меня успокаивать и гладить по плечику, но тут, под пронизывающим взглядом Инги Всеволодовны, нельзя показывать свое сочувствие. Иначе она пройдется катком презрения и по ним.

Занятие заканчивалось, и девочки горошинами высыпали в раздевалку к родителям. Меня ждал дедуся. Он приветливо махал мне рукой и спросил, как позанимались.

Вопрос был задан из вежливости и не предполагал откровенного ответа. Мне хотелось плакать, но дедуся мое искривленное печалью личико воспринимал как усталость.

— Ну, переодевайся давай, бабуся там вкусненького приготовила, пироги с капустой напекла...

Бабуся, очевидно, никогда не будет сообщницей в вопросе моего похудения. Нужно как-то худеть самой, при этом не сбавляя темпов и калорийности потребляемой пищи.

Вечером звонила мама.

— Ну, как балет? — спрашивала она. — Нравится?

— Скажи, что очень, — подсказывала бабуся.

— Очень, — всхлипывала я.

Мне казалось, что я в заложниках и должна говорить то, что должна, а не то, что хочется.

Я ненавидела балет и свой лишний вес и даже не знала, что я ненавидела сильнее...

Однажды вечером я осталась дома одна. Такое случалось крайне редко. Я прямо в пижамке прокралась к телефону и по памяти набрала московский номер мамы. Мое сердце выскакивало из груди.

— Алло-у, — кокетливо сказала трубка маминым голосом.

— Мама! — У Олечки вдруг все слова застряли в горле. — Мама...

— Господи, Оля, что случилось? — переполошилась трубка. — Что-то с бабусей? С дедусей?

— Нет-нет, с ними все хорошо. Мама, я не хочу ходить на балет... Мне не нравится... Меня спрашивают: «Когда будем худеть?» — а я не знаю, что отвечать... И Инга Всеволодовна, она злая... Она плохая...

— Господи, а больше ничего не случилось? Точно?

— Точно.

— Ну, ты не переживай. Я что-нибудь придумаю. Не хочешь балета — не надо. Не плачь, глупыш. Все будет хорошо...

Я легла спать почти счастливая. Я была уверена, что мама, узнав правду, прилетит за мной на самолете, и, может быть, уже утром. И она скажет Инге Всеволодовне что-то взрослое и хлесткое в защиту дочери, и та заплачет, и слезы будут капать на ее морщинистую шею.

Но утро прошло обыденно, как и день. А вечером...

Вечером меня отшлепали и поставили в угол за то, что «звонит по межгороду, тратит деньги, треплет нервы матери, несет чушь».

Я стояла в углу, ковыряла пальчиком кусок обоев и недоумевала: мама сказала, что все будет хорошо, но не уточнила когда. И еще она сказала, что все решит. Это она так решила? Просто рассказала все бабусе? Но ведь это совсем не решение, и обещанное мамой «хорошо» не наступило.

— Иди есть, — велит мне бабуся. Она все еще сердита и показательно громко гремит посудой на кухне.

— Я не хочу есть, — отзываюсь я из угла.

— Ты посмотри на нее, а? Растет, а ума не прибавляется! Нервы мне трепать вздумала? Голодовку объявила? Дед, поди-ка сюда...

— Мне Инга Всеволодовна велит худеть. Каждое занятие. А как мне худеть, если я все время ем? — всхлипываю я.

— Я стараюсь, полдня у плиты стою, готовлю разное, да повкусней стараюсь, а ты худеть вздумала? Дед, ты скажи, скажи ей, — бабуся чуть не плакала. — У меня давление скачет, ноги отекли, а я все стою, а ты, дрянь неблагодарная...

Я выхожу из угла, сажусь за стол и начинаю без аппетита есть картошку-пюре, щедро политую топленым сливочным маслом, с котлетой.

— Хлеб возьми, — всхлипывает из спальни бабуся, которую довели до белого каления, и она пошла прилечь.

Я послушно беру хлеб, задумчиво жую и думаю о том, что дала маме слишком мало времени на решение проблемы и она вскоре все же что-нибудь придумает, как обещала. Не может же мама бросить меня на съедение Инге Всеволодовне...

Молча ужиная в детском счастливом неведении, я еще не знаю, что впереди меня ждет четыре года балетной каторги. Каждый вторник и четверг.

Пяточки вместе, носочки врозь, из второй позиции, и-и-и...

Закрытые двери

Мы с мужем вчера поссорились. Просто так. Без какой-либо причины.

Потому что оба были уже на пределе.

Муж ушел в комнату, громко хлопнув дверью.

Я пожала плечами, не скрывая раздражения. Вот вроде взрослый мужик, глава семьи, двое детей, а ведет себя...

По молодости, лет в двадцать, захлопнутые двери — это нормальный такой диалог. Как по линиям жизни на ладошке можно прочитать судьбу, так по ярости захлопнутой двери можно прочитать степень обиды и перспективы примирения.

Диалог захлопнутых дверей очень информативен.

Мои захлопнутые двери по молодости возмущенно шипели будущему мужу, что «ты можешь меня потерять» и «такую, как я, не найдешь», а его захлопнутые двери ябедничали про «я и искать не буду такую обидчивую, найду попроще и посговорчивей».

Но спустя пятнадцать лет брака, который и в горе, и в радости, в болезни и здравии подарил ему счастливое двойное отцовство — сыночек и лапочка-дочка... Так вот после пятнадцати лет по триста шестьдесят пять дней звонкий хлопок дверью от взрослого дяденьки говорит лишь о том, что все вышеперечисленное никак не помогло ему повзрослеть, и махровая инфантильность двадцатилетнего юнца снова диктует упрямый текст его захлопнутым дверям.

Я раздражаюсь еще сильнее, накручиваю сама себя.

Я думала, мы отработали эту тему. Еще тогда, в первый год рождения нашего сына.

Маленький ребенок — это одновременно большое счастье и большой труд. Про большое счастье предупреждают журналы. Публикуют фотографии розовых пяточек младенца в колыбельке и шалеющих от восторга родителей.

Про большой труд говорят обтекаемо, в основном глаголами повелительного наклонения. Купайте. Гуляйте. Кормите.

Глаголы «не спите» и «про себя забудьте» выносят за скобки как несущественные, перекрываемые масштабами счастья.

Между тем я помню, что меня поразила именно эта неготовность к кулисам материнства, которых не было на фотографиях в журналах.

Ни в одном.

Я ходила на курсы будущих мам, скупила подписку на все журналы, в названии которых были слова «мама», «роды» и «9 месяцев», училась дышать собачкой, знала наизусть календарь прививок, но по факту все эти знания оказались совсем не актуальны, они превратились в голове в наваристую кашу из разрозненных и противоречивых фактов, которую расхлебывать предстояло мне одной.

ПОСЛЕ ВЫПИСКИ ИЗ РОДДОМА Я ЧУВСТВОВАЛА СЕБЯ КАК ВЫПУСКНИК ПТУ В ПЕРВЫЙ РАБОЧИЙ ДЕНЬ НА НАСТОЯЩЕМ ЗАВОДЕ.

Что касается моего мужа, то его жизнь до рождения сына и после отличалась лишь ухудшением качества ужинов, которыми я встречала его с работы, и вмонтированным в жизнь восхищенным фотографированием уже спящего сына.

Если бы я была редактором журнала «Честное материнство», я бы в каждом номере рисовала две карикатуры: первая, где беременную женщину, например меня, открывают, как футляр виолончели, и вместе с ребенком выгружают из меня меня саму, все внутренности, органы и душу, а вместо всего этого внутрь запихивают мультиварку, стерилизатор, стиральную машинку и пачку подгузников и, придавив это все снаружи плечом, закрывают футляр.

С этого момента больше никому не интересно, какие талантливые тексты я пишу, как мастерски подбираю формулировки деловых документов, как здорово руковожу людьми, как умею вести переговоры, как ярко выступаю на сцене, как грамотно могу организовать мероприятие. Вся моя жизнь отныне — это постоянный мониторинг содержимого подгузников моего сына, команды, раздаваемые пельменям в кастрюле, и организация режима жизни младенца.

Роды — это сильный стресс для организма и опять полная его перестройка. Организм достает из сундучка все хронические болезни, затачивает их на терминальную стадию, обостряет и ложится страдать.

Помню, как, родив сына, я, порванная, кровоточащая, в гормональных высыпаниях по всему телу, вдруг оглохла на одно ухо.

Я опасливо вглядывалась в зеркало, в ужасе рассматривала страшную женщину с колтунами в волосах, в тапках, со впавшими глазами, желтыми ногтями, псориазными очагами на лице и руках, смутно похожую на длинноногую девушку на каблуках, с укладкой и клатчиком, которая жила в моих зеркалах до беременности.

— Ты очень красивая, — говорил мне муж. Я молчала в ответ.

Во-первых, это его работа — так говорить, во-вторых, я не слышала. Я, напоминаю, оглохла. А если бы слышала — устроила бы истерику. Истерика была моим каналом коммуникации первые месяцы жизни ребенка, потому что я оплакивала ту женщину в зеркалах, которой больше нет, ту, которая сняла каблуки, переобула тапки и взлохматила волосы.

Я все делала не так и не знала, как делать правильно. Я была дико напугана.

Сын, покрытый диатезом, беспрестанно орал дома. Муж, зажатый обязательствами, беспрестанно вопил на работе.

Ко мне потихоньку возвращался слух. Первое, что я услышала, были рассказы мужа о том, как он устал.

Я не верила своим прозревшим ушам. Ты? Устал? Ты? В пиджаке с чашечкой кофе, сидящий под кондеем в своем кабинете и весело показывающий коллегам фотографии своего сына на телефоне?

Да что ты знаешь об усталости, человек из офиса? Да как тебе не стыдно, бессовестный ты белый воротничок.

Я же не сплю уже второй месяц, совсем недавно перестала кровить, и врачи разрешили мне... сидеть. Сидеть! Нет, не бухать. Нет, не скакать. Сидеть!

Я молчала, упаковывая рвущиеся истерики обратно, в горло. Я хорошая жена. Я хорошая жена. Я хорошая жена.

Однажды муж пришел домой пораньше, чтобы погулять с сыном.

— Сейчас я перекушу быстренько и заберу его, — сказал он и пошел на кухню.

Я услышала звук работающей микроволновки. Этот звук поразил меня в самое сердце. Я расценила его как предательство. Захлебнулась негодованием.

Муж греет еду!

Я забыла, что такое нормальная горячая еда. Например, тарелка горячего супа, сервированная штриховкой укропа и подсушенным в тостере хлебом.

Мои перекусы — это, пока заснул ребенок, кусок холодной бледной индейки, выловленной из бульона моей заветренной пятерней, запихнутый в рот куском-кляпом, и все это бегом по пути в благословенный душ, чтобы не растерять эти редкие минуты развязанных сном младенца материнских рук.

А он греет свои макароны!

Истерика выкипала и выкипела. Выплеснулась наружу. Я кричала на мужа до вздувшихся на шее вен. До впившихся в ладони ногтей. До слез обиды смертельно уставшей женщины.

Муж слушал молча, спиной. Он сидел над тарелкой остывших макарон и слушал мою истерику. А потом встал, подошел ко мне, внимательно посмотрел в глаза и... ушел.

В прихожей хлопнула дверь. Я опешила. Давно я не слышала звук захлопнутых дверей и разучилась распознавать его значения.

Тебе же не двадцать, ты уже два месяца как папа.

Не может же захлопнутая в тридцать лет дверь означать ту же юношескую чушь про «найду кого полегче, без закидонов».

Проснулся и заплакал сын. Я снова захлебнулась негодованием.

Как просто! Взять — и уйти. Просто взять — и хлопнуть дверью. Отгородиться баррикадами двери от проблем.

Как ребенок, который не видит игрушки и думает, что, значит, ее нет. А она вот, у него под носом, накрыта бумажной салфеткой. Она есть!

Какая глупая безответственность! Мать никогда так не сделает. Не уйдет, хлопнув дверью перед... перед грудным ребенком. Не отгородится от его надрывного плача, усталости и хлопот.

Потому что... мать. Как я. Господи, я мать. Как страшно это осознавать. Сколько в этом слове страха и ответственности. И счастья... Счастья больше всего.

Я же хорошая мать? Я хорошая мать.

А он плохой отец. И муж плохой. Он бросил обесточенную жену на грани отчаяния с грудным младенцем! О чем тут еще можно говорить?

Целыми днями я мою жопу, гуляю в парке, кормлю грудью, драю квартиру. И все это в режиме латентной истерики, потому что никто не замечает, какая я молодец.

Погодите, а я? Я замечаю?

Мне это так важно — быть хорошей матерью, что в погоне за идеальностью и стерильностью я совсем перестала быть хорошей женой и замечать собственного мужа. Которого я заметила только сквозь внезапно захлопнутую перед своим носом дверь.

Сквозь марево обиды я понимаю: муж у меня не плохой, нормальный. Нет, даже отличный.

Он ушел именно потому, что знает, что я — хорошая мать и я справлюсь.

А я не ушла именно поэтому, потому что я хорошая мать и я справлюсь.

И тут — симфония совместимости. Разом я прозрела и расшифровала звук захлопнутой двери: давай-ка охолонем, мы оба устали, а нам же еще сына растить....

Мы просто учимся быть родителями через симфонию захлопнутых дверей.

Муж возвращается спустя двадцать минут с букетом цветов.

— Это герберы, — зачем-то поясняет он, будто я не вижу, и добавляет: — С тебя список продуктов и сытый сын. Мы уйдем часа на три. Чтобы легла и спала! Слышишь? Спать! Ничего не готовь, я суши куплю...

— Мне нельзя суши, — всхлипываю я. — Я кормящая мать.

— А что можно?

— Индейку, гречку...

— Сын уже месяц в диатезе, хотя ты ешь одну индейку. Может, в ней и проблема? Раз нам нечего терять, может, пиццу?

— Давай. Четыре сына. Ой, четыре сыра!

— Вернусь — и приступим ко второму сыну, — подмигивает муж первенцу в коляске.

— Больше — ни за что, — смеюсь я и закрываю дверь за своими мужчинами.

На этой захлопнутой двери записана забота и любовь.

«И что я привязалась к этим разогретым макаронам?» — думаю я, проваливаясь в сон. Мне снятся закрытые двери, которые я распахиваю, а за ними — поле гербер.

Сегодня у нас уже двое детей. Ну какие захлопнутые двери? Ну что за детский сад? Я подхожу к двери, чтобы распахнуть ее и озвучить свое возмущение, и вдруг слышу, как за дверями заработал пылесос. На захлопнутой мужем двери написано: «Я просто не хочу пылить на детей» — и никаких юношеских обидок.

Я хмыкаю. Вот я идиотка. Мой муж взрослеет у меня на глазах все пятнадцать лет, и я могу смело на него положиться, не пугаясь теней инфантильности.

Не путать с ребячеством — этого добра в нем предостаточно. Но за непосредственность я его нежно люблю, потому что внутренний ребенок лишь удачно оттеняет осознанность взрослого человека.

Я точно знаю, что мой муж больше никогда не захлопнет передо мной дверь. **Потому что в настоящей семье не может быть захлопнутых дверей.** Если же они и случаются, то только для того, чтобы сказать нам что-то очень-очень важное.

Раннее развитие

В восемь лет я была похожа на пухленького печального Муми-тролля.

Я жила с бабусей и дедусей, окрыленными идеей все-сто-рон-не-го развития ребенка. Поэтому все бесплатные кружки местного Дома пионеров гостеприимно распахнули для меня свои двери.

Перечень активностей был выбран дедусей и бабусей для меня без согласования со склонностями и особенностями ребенка: единственный критерий — забить по возможности время после школы. Так и было. Кружки были утрамбованы в каждый будний день и немножко налезали на выходные.

Никто не советовался со мной и не спрашивал: «Хочешь?» За меня решили: «Хочет!»

Поэтому получалось, как у Агнии Барто:

Драмкружок, кружок по фото,
Хоркружок — мне петь охота,
И за кружок по рисованью
Тоже все голосовали...

Началась эта история с театрального кружка.

Итак, мне восемь лет, и я читаю наизусть монолог Катерины из драмы Островского «Гроза».

Что может знать восьмилетняя девочка про безответную любовь, грехопадение и иллюзорное прелюбодеяние? Чуть меньше, чем ничего. Единственное, что я вынесла в то время из драмы Островского, — это дедушкину заначку в размере пяти рублей и имя Кабаниха.

Кабанихами отныне в нашем дворе величали всех вредных толстух, запрещающих нам, детям, орать под балконом.

Я еще ребенок. «Репка» и «Курочка Ряба» — вот мой уровень восприятия реальности. Поэтому ждать от меня сочувствия к главной героине монолога по меньшей мере опрометчиво. Ее речь я читала монотонно, без души и толики актерского мастерства. Как говорится, на «отвали».

На отчетном концерте меня, наряженную в народный сарафан, расписной платок, лапти и кокошник, со свекольными щеками, выпустили на сцену и ослепили софитами. Я щурилась и морщилась. Наверное, по задумке режиссера так и выглядят личности, планирующие сигануть в Волгу с концами.

— Отчего люди не летают так, как птицы? Знаешь, мне иногда кажется, что я — птица... — произнесла я и замолчала. Продолжение напрочь вылетело из головы. Как корова языком! Пауза затягивалась.

— Какие птицы-то? — вдруг хохотнул кто-то в зале.

— Дятлы! — поддержал его другой хохмач.

— Страусы!

— Курицы!

Зал заливался хохотом, проявляя завидные познания в орнитологии.

Я решила не испытывать судьбу и бежать от позора, для чего ломанулась в кулису, на ходу потеряв на сцене лапоть на три размера больше моего.

Впоследствии зрители, желающие поддержать меня и дать мне шанс исправить провальное выступление, звали меня вернуться на сцену и скандировали: «Зо-луш-ка-где-же-ты?»

Вот так бесславно закончилась моя актерская карьера.

«Не-ве-рю!» — сказал бы Станиславский.

Вот и дедуся с бабусей не поверили.

Не поверили, что в их внучке не зашито таланта.

Они дали мне недельку тишины на зализывание моральных ран после провала, а потом дедуся сообщил с загадочным видом:

— Теперь, Оля, вместо театра ты будешь посещать...

— Цирк? — обреченно уточнила я, радостно фиксируя в себе первые признаки сарказма.

— Почему цирк? — опешил дедуся. — Никакой не цирк. Будешь учиться плавать!

Сказано — сделано. Вместо «тятра» дедуся с бабусей запихнули меня на плавание. Так сказать, с театральных подмосток швырнули в бассейн.

Так как действие происходит в маленьком приморском городке, то не уметь плавать, живя рядом с морем, считалось моветоном, поэтому я восприняла идею научиться брассу и баттерфляю с энтузиазмом.

До того момента мне было разрешено резвиться в море только в полный штиль. В воде по колено. Упакованной в надувной круг на талии и нарукавники. Под бдящим оком бабуси, периодически одергивающей меня замечанием:

— Старайся не замочить трусы!

В общем, в бассейн я пошла с внятной, оформленной в страстное желание мотивацией: научиться плавать и замочить наконец в море трусы!

— Ваша девочка плавает как топор, — спустя неделю сообщил дедусе расстроенный тренер. — У меня за десять лет практики впервые такой случай. Она боится воды. Боится пробовать. Боится себя. Вся остальная группа уже ныряет за шайбами. Она ни разу не вошла в воду выше, чем по пояс... Мне очень жаль.

Он же не знал, что я и в бассейне первую неделю боялась замочить трусы...

В момент этого разговора с дедусей я в замоченных трусах плыла... мертвой хваткой вцепившись в учебный пенопласт, истерически лупася ногами по хлорированной воде, как та лягушка в бидоне с молоком. Дедуся смотрел на мою истерическую имитацию утюга и обреченно кивал тренеру. Мол, да, вижу — полный бесперспективняк.

Вот так я вышла сухой из воды и прямиком направилась на следующий эшафот — кружок кройки и шитья. Я ходила туда трижды в неделю, сразу после логопеда, без занятий с которым он превратился бы в кружок «койки и фытья».

Я ненавижу шить на каком-то глубинном уровне. Дайте мне кубики с буквами «Ш», «И», «Т», «Ь», и я легко составлю из них слово «ЖОПА». В общем, не мое это. Категорически. Высший уровень моего мастерства швеи — пуговица, пришитая в два стежка.

Я вертлява, неугомонна и неусидчива, а шитье требует таланта и врожденной кропотливости, чтобы стежок был ровненький, а ткань податливо струилась в руках.

Все это — мимо меня.

Бабуся в закромах шкафа нашла залежи тяжелой ткани нелепо цветастой расцветки. Она бы сгодилась на дачные занавески (лучше — в чулан), но никак не ассоциировалась с нарядом для малолетки.

Однако в отсутствие альтернативы мне предстояло сшить из этого буйства красок сарафан. Сарафанище в пол с завышенной талией по лекалам «Бурда Моден».

Преподавательница, стройная холеная женщина-дюймовочка, сама выбрала мне именно этот наряд. Мне, пухлой, забитой комплексами, мумитролльной барышне, наряженной в кофту, перешитую из дедусиного свитера в ромбик. Наверное, преподавательница хотела себе такой сарафан и через меня воплощала свои мечты.

Забегая вперед, скажу, что я его сшила. А куда деваться? Три раза в неделю по два часа мне приходилось метать, строчить, распускать и снова строчить. В итоге получился сарафанище нелепой расцветки.

Он, хочу заметить, отлично смотрелся на вешалке в шкафу. Потому что МНЕ, блин, ПО-ПРЕЖНЕМУ ВОСЕМЬ ЛЕТ!

Куда мне носить эту боярскую одежду? На дачу? Где я, феечка из леечки, поливаю огурцы? Или во двор, где мы с чумазыми друзьями лазаем по замороженной много лет назад стройке (я больше не гуляю с прабабушкой!), практикуя элементы паркура[1] на поросших мхом строительных блоках?

...Потом был показ моделей. Мы, доморощенные швеи, должны были на подиуме продемонстриро-

[1] П а р к ý р — искусство рационального перемещения и преодоления препятствий, как правило, в городских условиях. — *Прим. ред.*

вать то, что сшили. Для этого нас неделю учили ходить как модели. «Брюки превращаюца-а-а...»

Ходить у меня получалось неплохо, даже откровенно хорошо, но в день показа случилось страшное: чтобы подчеркнуть длину сарафанища, меня обули в каблуки. Первый раз в жизни.

И вытолкали на сцену, опутанную проводами от колонок и усилителей.

Я приклеила улыбку и пошла, как учили. Как Людмила Прокофьевна из «Служебного романа»: «Ну, пошла теперь одна, пошла...»

Каблуки, знаете, здорово затрудняют движение восьмилетних девочек. Особенно в первый раз.

МОЯ ПОХОДКА НАПОМИНАЛА ПОХОДКУ ОБКУРЕННОГО НАРКОМАНА В ГОЛОЛЕДИЦУ. К ТОМУ ЖЕ ПОСЕРЕДИНЕ ПОДИУМА БЫЛ НАТЯНУТ ШНУР ОТ КАМЕРЫ...

Можно я не буду описывать, что случилось дальше? Человек с самой куцей фантазией вполне способен представить то легендарное падение в оркестровую яму зрительного зала.

Не знаю, может, это я подала в тот день идею рок-звездам падать со сцены в руки фанатов? Разница была только в том, что у меня пока не было фанатов, и я тяжелым шкафом рухнула точнехонько в проход, по пути пребольно ударившись антресолькой о ступеньки.

Далее следовала безобразная сцена: дедуся пытался меня поднять, но я запуталась в сарафане (не зря же он был в пол и с завышенной талией!) и никак не могла устаканить ливер.

Со стороны эта картина выглядела так, будто дедушка пытается спасти наклюкавшуюся в зюзю внучку. На этом мои кройка и шитье приказали долго жить.

Следующая гастроль предстояла в песенный кружок «Кукушечка».

Так было написано на двери хорового зала. Две буквы «У» в названии кружка немедленно были исправлены умельцами на «А».

Как по мне, то этот вариант названия гораздо лучше раскрывал тему всего происходящего за дверями хорового зала.

Мне медведь не просто наступил на ухо. Он станцевал на нем джагу.

Однако, вопреки всем законам логики, меня поставили солировать в песне: «В горнице моей светло».

По сюжету песни матушка брала ведро и молча приносила воды. Гнила лодка, скучала ива... Полное дно, короче.

Больше в этой песне ничего не происходило, не было никакой интриги, и петь ее было откровенно скучно.

Мы со вторым солистом Ваней Чемерко пытались исправить ситуацию.

У нас матушка брала бедро-метро-ситро и молча приносила его «сюды-ы-ы».

Ваня Чемерко был гораздо более продвинутый, чем я. Он знал мат и умел его говорить. В его варианте песни он приказывал матушке «взять ведро», а иначе грозил, что она «молча огребет кое-чего».

Я краснела. Значение этого словосочетания я представляла весьма отдаленно, но подвох чуяла интуитивно, и профилактически говорила Ване, что он дурак. Ваня же говорил, что я сама дура, однако носил мне портфель до подъезда.

Учительница музыки с волосами, сожженными химией, была всегда в плохом настроении. Лицо у нее было заплаканное. Может, она плакала из-за химии, может быть, из-за того, что мы не умеем петь, или потому, что ее никто не боится, я не знаю...

Она, как в «Приключениях Электроника», каждую песню начинала с «и-и-и».

Голос у нее был низкий, глубокий и гортанный, и это «и-и-и» выглядело как крик осла на водопое, поэтому я реально пугалась и вступала раньше времени.

Рассказать вам про отчетный концерт? Или не надо? Достаточно сообщить, что в тот злополучный день по договоренности с Ваней Чемерко «матушка возьме-о-от гудро-о-он, молча пожует еды-ы-ы»...

Вот сейчас пишу этот рассказ и понимаю, насколько я была проблемным ребенком. Давала жару, так сказать. Такая внучка из серии «Замените расстрелом». Не зря родители избавились от меня, спихнув бабусе и дедусе, которые до знакомства со мной думали, что любят детей.

Как в анекдоте про мультик «Маша и медведь», в котором родители Маши не побоялись оставить с этим животным медведя.

Какое счастье, что детство закончилось!

Большой человек

Сын вышел из подъезда на минуту раньше меня и к моменту моего появления придерживал дверь двум незнакомым мужикам, заносившим в подъезд новый диван.

Я торопливо проскочила перед ними: мы опаздывали в театр, и сын об этом знал.

Я вопросительно замялась у ступенек и увидела, как сын дождался полного погружения дивана внутрь подъезда, лишь после этого посчитал свою миссию швейцара законченной и трусцой припустил к машине:

— Быстрей, мам, опоздаем же!..

Припарковавшись на другой стороне дороги от театра, мы бросились к пешеходному переходу. На светофоре горел красный человечек, машин почти не было.

Мимо нас трижды пробегали люди, решившие пересечь дорогу на красный, но Даня даже не рыпнулся. Ему и в голову не пришло нарушить социальные нормы ответственности, пусть даже об этом никто бы и не узнал.

У входа в театр Дася подбежал к урне, куда хотел выбросить упаковку от съеденных крекеров, но порыв ветра подхватил легкую бумажку и понес вперед. Дася полетел следом, пытаясь догнать и выбросить мусор в урну, как положено.

Потратив две минуты на преследование фантика, сын удовлетворенно водворил его в урну и махнул мне: мол, побежали скорей — опоздаем!

Мы подошли к лифту, чтобы подняться на четвертый этаж, где уже начиналось представление.

Лифт работал медленно, и за нами быстро образовалась очередь. На табло скакали цифры этажей, лифт приближался.

И тут в конце очереди остановилась женщина с инвалидной коляской, на которой сидел хмурый мальчик, видимо, ее сын. Они наверняка спешат туда же, куда и мы, — опаздывают. К инвалидной коляске были привязаны три разноцветных шарика, и мальчик периодически обеспокоенно оборачивался, не улетели ли они.

Лифт распахнул двери напротив нас. И тут мой сын поворачивается ко мне и говорит, кивая в сторону мальчика на инвалидном кресле:

— Мам, давай их пропустим.

— Конечно, Дась. Давай пропустим.

Я помогаю женщине запарковать объемную коляску в лифте, становится очевидным, что больше никто из людей в лифте не поместится, и нам надо ждать следующего.

Хмурый мальчик смотрит на маму и, кивая в нашу сторону, говорит:

— Давай подарим им шарик!

Мама мальчика, нервничая, что задерживает очередь, начинает отвязывать шарик. Лифт порывается закрыться.

Дася великодушно отказывается:

— Да не надо! Поезжайте! Опоздаете! Мне мама купит.

Но я сжимаю ему ладонь и деликатно подмигиваю, мол, дождись и возьми: я понимаю, что это важный урок взаимной благодарности и жизненно необходимо найти на него время.

— Где ж я тебе такой красивый куплю? — громко удивляюсь я.

Хмурый мальчик вручает шарик Дасе и перестает быть хмурым: мальчишки улыбаются друг другу.

И мы с его мамой тоже улыбаемся.

После спектакля мы с сыном сидим в кафе и едим мороженое.

— Дась, ты у меня такой молодец, я тобой ТАК горжусь, — говорю я. — Ты даже не представляешь, насколько ты умница! Ты сделал сегодня столько добрых дел.

Сын вскидывает на меня недоуменные глаза:

— Я? Когда?

Он даже не понял, что сделал что-то хорошее. Для него это норма жизни, обычная, рутинная история. Я бесконечно горжусь своим маленьким чудом, который увлеченно ковыряет ложечкой свой пломбир и рассуждает о том, насколько жарко было актерам в плотных костюмах лесных животных.

Я любуюсь им и уже вижу в этом маленьком человеке БОЛЬШОГО.

Продленка

На наш третий «А» класс приходилось шесть коробок с гуманитарной помощью из Германии.

Внутри каждой коробки, как правило, находилась заморская консервированная еда и упаковка круглых цветных конфет. Мы звали их «светофоры», потому что они были упакованы в ряд по три разноцветных кругляшка.

Впоследствии эти конфеты становились в руках ушлых школьников настоящей валютой, на которую выменивались редкие вкладыши жвачек «Love is» или модные пластмассовые линейки с изображением мультяшных героев.

Поэтому, с одной стороны, получивший «гуманитарку» ученик правомерно считался счастливчиком, но с другой — помощь предоставлялась в первую очередь детям из неблагополучных или неполных семей, и с этой точки зрения понятие «счастливчик» является спорным.

Я попала в этот сомнительный список везунчиков фактически по блату, потому что мой дедушка дружил с моей классной руководительницей.

— А почему Савельевой дали? — услышала я сзади сдавленный шепот обделенного в этот раз посылкой Майорова Кольки — моего одноклассника, седьмого ребенка в семье и, как следствие семейной многодетности, отъявленного хулигана, от выходок которого нашу директрису однажды даже увозили по «Скорой».

Я и сама понимала, что получаю коробку незаслуженно, даже незаконно, и мучилась от этого не меньше оставшегося без жвачек Кольки. Сказать честно, нелегитимность этой помощи меня смущала гораздо меньше того факта, что ее вручение словно приравнивает меня к категории неблагополучных детей.

— А тебе-то что? — зашипела я в ответ, пряча за агрессивностью свои истинные чувства.

— Так ты ж у нас благополучная, — ернически заметил Колька.

— У нее родителей нет, — «заступилась» за меня Василиса, красавица-отличница, черт бы ее побрал.

— Есть у меня родители! — возмутилась я и в ответ на недоумевающий взгляд Василисы, чье заступничество оказалось неоцененным, тихо добавила: — Просто они в Москве живут.

— А тогда ты чего же с ними в Москве не живешь? — мстительно спросила Василиса.

— А это не твое дело! — заносчиво заметила я и покраснела до кончиков своих косичек.

Ответа на этот вопрос я не знала. Точнее, ответ был такой: «Так надо!» Очень даже полный и развернутый ответ, включающий в себя еще и симбиоз из междустрочных тезисов: «Не лезь не в свое дело», «Вырастешь — узнаешь», «А что, тебе с бабулей и дедулей плохо живется?».

Нет, с бабулей и дедулей я жила вполне счастливо, потому что не знала, как может быть по-другому. Я была ребенком, и глубинные причины событий, происходящих вокруг меня, были мне неведомы, и в десять лет мне вполне было достаточно ответа «Так надо!» и разрешения гулять до десяти.

Уже много позже мне попытаются сформулировать что-то про «много работы», «развод с отцом» и про «ты же не хочешь сидеть на продленке?». Однако все эти факторы и тогда, и сейчас не кажутся мне весомыми аргументами. Наверное, потому, что я смотрела на них глазами ребенка, скучающего по маме.

И вот моя трофейная посылка стоит на столе на кухне, а дедуля уже минут двадцать пытается отковырять прочно прибитую крышку с непонятными надписями на немецком языке. Я верчусь под ногами в ожидании конфет: ну должен же хоть чем-то быть оправдан этот внезапно свалившийся на мою голову позор.

— Бабу-у-усь, — канючу я. — А когда вы купите мне джинсы?

Джинсы — это моя мечта. Они есть уже у всех в моем классе, даже у Кольки Майорова, а у меня — нет. И от этого я ощущаю себя глубоко несчастным человеком, несчастнее, наверное, самого несчастного ребенка из самой неблагополучной семьи.

Все свое сознательное детство я прожила в режиме жесткой экономии. Очень жесткой. Я бы даже сказала, клинически жесткой. За дешевой гречкой, например на две копейки дешевле, чем в ближайшем магазине, мы с бабусей ездили на другой конец города, потому что у бабушки уже и у меня еще бесплатный проезд.

Новая вещь мне покупалась только тогда, когда старую уже невозможно было ни заштопать, ни перешить. А однажды я весь вечер простояла в углу за транжирство бабусиной пенсии, потому что, отстояв на лютой жаре очередь к желтой бочке с хлебным квасом и купив целый бидон этого прохладного напитка, я не удержалась и решила отхлебнуть глоточек по пути домой, но сил не рассчитала и фактически опрокинула этот бидон на себя.

Тетенька-продавец засмеялась и предложила налить мне еще квасу без очереди, но денег у меня больше не было. В итоге обещанная окрошка на квасе накрылась медным тазом, а тут еще предстояла трата на стирку, ведь футболка из белой превратилась в мокро-коричневую. Бабуся, увидев меня в ней, побежала прилечь с ощущением безысходности, дедуля кричал, что я безрукая и доверить мне ничего нельзя, а мама на фото в серванте, как всегда, задорно подмигивала: «Доча, крепись, мне сейчас не до тебя!»

Нет, мои дедуля с бабусей не были жмотами, ни в коем случае. **Просто люди, пережившие голод и ужас от ощущения, что ближайший прием пищи отсрочен на неопределенное количество времени, потом всю жизнь живут так, будто уже завтра во всей стране пропадет еда.**

Балкон их квартиры был забит мешками с запасами риса, гречки и других круп. Все эти мешки стояли годами. В них заводились жучки и муравьи, при непосредственном участии которых мне впоследствии варились супы.

— Бабусь, в борще букашки и жучки, — хныкала я, не решаясь попробовать первое, хотя вообще-то бабуся, как любая изобретательная хозяйка, готовила сносно, я бы даже сказала вкусно.

— Это специи.

— Ну какие это специи, ба? Я вижу у них ножки и голову, и у некоторых специй даже хвостики.

— Не придумывай ерунду, — хмурилась бабуся и крыла мои слабые шестерки своим неоспоримым козырем. — Пока не съешь, гулять не пойдешь.

Я откусывала огромный кусман хлеба, обильно натертого чесноком, чтобы нейтрализовать привкус жучков, покорно закрывала глаза и вливала в себя порцию этого несчастного борща.

И уже через десять минут та же самая, только сытая я, заряженная детским немотивированным восторгом, носилась с друзьями по двору за вшивой дворняжкой и была абсолютно счастлива, как бывают счастливы только дети, не обремененные взрослыми знаниями и ответственностью.

Так вот, на днях путем длительных уговоров, слезных истерик и умоляний я выпросила джинсы взамен моих безвременно погибших в схватке с соседским пекинесом брюк.

Так как джинсы не из чего было перешить, предполагалось, что мне купят новые. Ну, не совсем новые, а кем-то когда-то уже ношеные, ведь отоваривались мы только в комиссионке, но это как минимум не будет напоминать деревенский наряд доярки, что представляла собой вся моя перешитая из бабулиных халатов одежка.

— Скоро купим, я же обещала, — рассеянно говорит бабуся, с воодушевлением роясь в гуманитарной посылке и выкладывая банки с заграничной тушенкой на кухонный стол.

Я радостно приплясываю рядом. И вдруг вместо долгожданных конфет бабуся достает из посылки джинсы-варенки с дурацкими медными клепками на карманах и красными нашивками аппликации.

Я замерла. Нет, только не это...

Вся, вся школа до последнего наивного первоклашки с букварем будет знать, что эти варенки — из гуманитарной помощи. Какой позор! Да это фактически униформа для детей из неблагополучных семей! Все на перемене будут проходить мимо меня и думать: «Бедная, наверное, у нее родители пьют или сидят, или их вообще нет!» Не стану же я подбегать к каждому и объяснять про Москву и про то, что «так надо».

— Примерь! — радостно распорядилась бабуля.

— Нет, я не смогу это надеть, — пытаюсь я отсрочить казнь, надеясь на спасительное чудо, но чуда не происходит.

— Почему? — Бабуля уже хмурится, хотя все еще искренне воодушевлена отпавшей необходимостью тратить деньги на обещанные джинсы. — Размер как раз твой.

Последняя надежда на то, что они окажутся малы, которой также не суждено было сбыться: эти чертовы штаны сели на мне как влитые, я идеально поместилась в них — ловушка захлопнулась.

— Вот тебе и джинсы. Можешь прямо завтра в них в школу идти, — радостно прощебетала бабуля свой приговор.

В ушах у меня зазвенело. До сих пор я слышу, как мои ожидания разбиваются о реальность и осколками детского отчаяния осыпаются на паркет.

Никогда не забуду эти штаны. Они сломали мою уверенность в себе, переломив ее на две части, так что хруст до сих пор отзывается во мне ощущением безысходности.

В этих штанах я шла в школу, как на казнь, считая шаги до момента начала моего позора. Помню, как медленно поднималась по ступенькам школьного эшафота. Эта поступь до сих пор живет внутри меня: пошаговая большая трагедия маленького человечка, оставленного мамой, потому что так кому-то надо.

Я все могу понять. Про то, что много работы, и про развод. Я все могу простить: и много работы, и развод. И судить я никого не вправе. Ведь я так много не работала и не разводилась. Но эти штаны... Эта чертова вареная джинса... Это первая дуэль ТыУжеНеРебенка с безжалостной жизненной несправедливостью, которая ударила исподтишка, наотмашь, с оттягом. И меня отбросило к дальней стенке школьного женского туалета — в крайней от окна кабинке без дверей я проревела все переменки.

Быть взрослым не значит быть правым априори. **Быть взрослым — значит уметь признавать и успеть исправлять. Потому что никогда не поздно.**

И не надо эти ваши ТАК НАДО. Договаривайте. Так надо вам. Так проще. Так выгоднее. Не переворачивайте.

Ты хочешь сидеть на продленке?

Странный вопрос. С продленки забирают каждый день. Вечером.

Видеть маму один раз в год — это и есть продленка длиною в детство. Когда к тебе приезжают, но не забирают с собой. Забывают в твоей продленке. На одиннадцать лет.

Так не надо «так надо».

Полиэтилен

Мой отец очень сильно пил и почти всегда был пьян. Весь мир он видел, как сквозь полиэтилен, размытым и нечетким.

Он не мог сфокусироваться на долгосрочном смысле жизни, поэтому заострял внимание на главном ежедневном смысле — найти деньги на «продолжение банкета».

Он называл это весело: «Обострим ситуацию!»

Отец боялся трезветь. В трезвом состоянии он начинал умирать: сердце билось как сумасшедшее, грозило выскочить из груди; руки тряслись так, что сложно было выпить стакан воды; желудок сводило адской изнуряющей болью. Другими словами, была ломка всего организма до кончиков волос.

Трезвея, он звонил мне в панике:

— Я умираю. Я, КАЖЕТСЯ, УМИРАЮ!

В его голосе сквозил неподдельный ужас. Он не хотел умирать. Категорически. Отец отчаянно хотел жить.

В моем понимании жить — это растить детей, варить суп, писать стихи, гулять в парке, печь хлеб. В его понимании жить — это выпить и ждать полиэтилен.

Я не понимала, как можно жить ради полиэтилена, и навязывала отцу свой смысл жизни.

«Я скоро рожу, — говорила я. — Брось пить. Иначе я не смогу доверить тебе внука. Посмотри, как трясутся твои руки».

Отец очень ждал внука, но пить не бросал. Готов был и на внука смотреть сквозь полиэтилен.

Я была возмущена и даже немного обижена. У всех вокруг отличные, образцовые отцы. Почему же мне достался алкоголик?

Я отчаянно боролась за нормального папу. Образно говоря, выходила на его ринг и сражалась за него с его болезнью.

Наркологические больницы, кодировки, торпеды, гипноз, даже испытание новых препаратов. Я попробовала все.

Я, не он.

Отец не хотел мою жизнь, моих детей, супов, стихов и парков. Он жаждал свой полиэтилен и чтобы его оставили в покое, деликатно забыв у телефона пятьсот рублей на опохмел.

Я устала причинять добро. Мое добро было ему в тягость. Полиэтилен искажал добро, превращал его в насильственное зло.

Я перегорела. Сдалась. Выставила белый флаг. Ушла с его ринга. Не сразу, но ушла. «Это чужой бой, — поняла я. — **Нельзя выиграть чужой бой».**

Моя задача не лечить, а принять. Но как принять?

Я стала уходить в свою жизнь и деликатно забывать у телефона пятьсот рублей.

Когда они заканчивались, отец звонил в панике:

— Я УМИРАЮ! Быстрее!

Меня поражало то, как отчаянно он хочет жить.

Все хотят жить. Жить так, как им хочется. Не оправдывать ничьих ожиданий. Просто жить, без оглядки на конфликт интересов. Если же вдруг твоя жизнь, летящая в пропасть, рикошетом задевает другие, то очень жаль, конечно, но это не мои проблемы. Каждый сам выбирает себе жизнь, но не смерть.

Я тоже боюсь умереть. Перестать быть. Я прочувствовала этот страх, когда родила ребенка. **До рождения детей, пока живешь для себя, просто боишься не успеть. Не успеть понять, зачем ты здесь.** Раньше мой страх был про то, что на мои похороны никто не придет. Спросят расстроенно: «Что, умерла Савельева? Ну, жалко» — и пойдут по своим делам. Варить свой суп. Гулять со своими детьми. Это важнее, чем похороны.

Я тщеславно стала подгружать в свою жизнь благотворительность. Делала добрые дела для других.

— Она такая молодец, все делает забесплатно.

На самом деле нет. Не бесплатно. В обмен на услугу. Если я умру, вы, ребят, должны, нет, просто обязаны будете расстроиться. Как минимум. Как максимум прийти на похороны. Вот такой страх, сублимированный в тщеславие.

С рождением детей я стала сильнее бояться умереть. Муж будет питаться всухомятку, сын промочит ноги и колготки наденет задом наперед, дочка вообще испытает стресс от резкого перехода с грудного вскармливания на искусственное...

Нет, думаю я в ужасе, мне нельзя умирать. Я нужна другим людям и не могу их подвести.

Почему боялся умереть мой отец, я не знаю. Как можно так отчаянно держаться за полиэтилен? А может, была другая ценность в его жизни? Например, я. Может, он меня сильно любил? И внука тоже... И своего сына, моего родного брата, очень любил. Ведь отец переселился в свой полиэтилен, когда мой брат пропал без вести. Он просто упал туда и не смог выбраться. Двадцать лет барахтался. Неужели время не лечит и двадцать лет недостаточно, чтобы взять себя в руки?

Наверное, любил. **Но любовь — это давать человеку то, что нужно ему, а не то, что есть у тебя. Значит, любил, но себя. Когда ты болеешь, сложно любить кого-то, кроме себя.**

Когда отец умер, я звонила его друзьям и знакомым. Приглашала на похороны. Они спрашивали расстроенно: «Что, умер Савельев? Ну, жалко». И шли по своим делам. Варить свой суп. Гулять со своими детьми. Это им важнее, чем похороны.

Я ловила себя на мысли о том, что вот он, мой сбывшийся страх.

Каково это?

Когда я пришла к сыну сказать, что умер дедушка, сын играл в песочнице. Ему было весело.

Я наблюдала за тем, как он строит куличи.

— Дась, посмотри на небо. Видишь, вон то облачко? — спросила я.

— Да, вижу.

— Теперь на этом облачке живет твой дедушка Саша, — сказала я.

— А как он туда забрался? — удивился сын и отложил лопатку.

— Очень просто. Он умер, — пояснила я.

Дася посмотрел на меня, и его глазки наполнились слезами.

— Умер — это когда никогда?

Совсем недавно мы с ним аккуратно обсуждали эту тему. Что «умер» — это когда человек больше не придет никогда.

— Да. Никогда. Дедушка теперь будет просто наблюдать за тобой с облачка.

Дася безутешно зарыдал.

— Я хочу к дедушке. Почему он не предупредил? Зачем не попрощался...

— Дася, он не мог предупредить. На облачко все уходят без предупреждения.

— А почему он ушел?

— Потому что здесь он задыхался, а там ему хорошо дышать. Спокойно.

— А почему здесь плохо дышать?

— Потому что он заболел, сын.

— Чем?

— Алкоголизмом, — сказала я. Я не вру детям.

— А ты не заболеешь алкоголизмом?

— Нет. Я тебе обещаю.

Я ненавижу алкоголь. Не пью его. Мой отец выпил его за двоих.

— А папа?

— И папа.

— А я?

— И ты. Это такая болезнь, которая... Которой заболевают люди по собственному желанию. И если ты не хочешь умереть раньше срока, то не пей и не кури.

— А дедушка выбрал заболеть? Сам выбрал? Хотя знал, что умрет?

— К сожалению, да.

Сын попытался сформулировать то, что его смущало. Я решила ему помочь:

— Ты думаешь, что дедушка вел себя глупо? Когда выбрал болезнь? Так и есть, Дась. Это очень глупый и неправильный выбор. И, возможно, дедушке стоило его сделать хотя бы ради того, чтобы его никогда не сделал ты. Понимаешь?

— Нет, — сказал сын. Мои дети никогда мне не врут.

Я вздохнула. Сейчас этого не объяснить. Потом, попозже, когда он подрастет, я попробую еще раз.

Сын молчал и задумчиво смотрел на облачко.

— Мам. А ты тоже, не предупредив, уйдешь на облачко?

— Да, — сказала я. Я не вру детям.

Дася заплакал и уткнулся мне в плечо, крепко обняв.

— Но я это сделаю через сто лет, сын. Поверь, я еще успею тебе надоесть, — сказала я и поцеловала его в макушечку. — А до этого времени, до облачка, я всегда-всегда буду рядом с тобой...

Потом были похороны. Сына на них я не взяла.

Отец не выглядел расстроенным. Он был красивым и одухотворенным. Нарядным. Я в первый и последний раз видела его в костюме. И хотела запомнить его именно таким, солидным и импозантным.

Я очень хотела видеть его таким в жизни, но он выбрал другую свободу. Мне не понять ее прелесть, я ненавижу ее перегарный запах, не приемлю ее нетвердую поступь.

Но там, у гроба, я плакала и просила у отца прощения за то, что много лет жила в сопротивлении его выбору. За то, как захлопывала дверь, оставляя его умирать. Наедине с ухающим сердцем, трясущимися руками и изнывающим без спирта желудком. Я истязала отца своей праведностью вместо того, чтобы дать эти несчастные пятьсот рублей. Они же у меня были.

Я просила его простить мне мою глупую гордыню, мою самоуверенность, мою твердолобую убежденность в том, что только мой смысл жизни правильный, а его — нет, в том, что бояться умереть должны только те, у кого есть суп-дети-парки, а не полиэтилен.

КАТЕГОРИЧНОСТЬ – ЭТО СЛАБОСТЬ. ЧЕМ ТЫ КАТЕГОРИЧНЕЕ В СВОЕЙ ПОЗИЦИИ, ЧЕМ ЯРОСТНЕЕ ЕЕ ПРОПАГАНДИРУЕШЬ, ТЕМ БОЛЬШЕ СОМНЕНИЙ ПРЯЧЕШЬ ЗА КРИКАМИ, ПРИЗВАННЫМИ ВЕРБОВАТЬ ТЕБЕ ЕДИНОМЫШЛЕННИКОВ.

Я стала такая мудрая, когда не стало моего отца. Так просто принять то, что больше не рикошетит в твою жизнь бесконечными проблемами, не тянет вниз якорем стыда и бессилия, не треплет нервы ночными телефонными звонками.

Я смотрела на папу. Прощалась и прощала.

Мне кажется, и он меня простил.

Я бы сказала, что он выглядел освобожденным.

А может, он просто больше не боялся умереть.

Взрослая

Мы заходим в квартиру.

В ней сложный запах. Многослойный, тяжелый, ощутимый.

Я не могу понять, чем пахнет. Распознать не могу.

— А чем пахнет? — спрашиваю я сосредоточенно.

Мама хмыкает, закатывает глаза.

— Приехали? Ну наконец-то! — папа выходит из комнаты и распахивает руки.

— Заждался, я смотрю, — сквозь зубы выжимает мама.

В ее тоне чувствуется ерническое пренебрежение.

Мне не нравится, что мама так говорит с папой.

Я покорно иду в его объятия и замираю: соскучилась.

Мама уходит на кухню и там что-то роняет. Потом еще что-то роняет. Потом еще.

— Мама сердится на тебя? — спрашиваю я папу тихо. Мы как будто заговорщики.

— Да, она всегда сердится, — говорит папа. — Привыкай.

— А почему?

— Человек такой, — поясняет папа.

— Так не бывает. Не бывает без причины.

— Бывает, что причина внутри, — поясняет папа.

Мы идем в его комнату. Папа живет отдельно от мамы. У каждого своя комната. И вместе, и врозь. И любят, и ненавидят. Разве нельзя выбрать уже, любишь или ненавидишь, и перестать болтаться в неопределенности?

В папиной комнате пустые стены. Одинокая, криво висящая «Незнакомка»[1] прикрывает дыру на старых пожелтевших обоях. Кровать с несвежим постельным бельем. Шкаф с книгами и стол у окна.

Такой не причесанный, холостяцкий аскетизм. Необученный, одинокий. Как папа.

На кровати спит гитара. Она лежит наискосок и будто прикрыта одеялом. Я сажусь на кровать и трогаю струны, которые жалобно отзываются на мое прикосновение.

— Хочешь, я тебе сыграю? — спрашивает папа.

---

[1] Картина русского художника Ивана Крамского. — *Прим. ред.*

— Хочу, — отвечаю я.

Я знала, что папа умеет играть на гитаре, но никогда не слышала за все тринадцать лет.

Эти тринадцать лет я росла в другом городе. В ссылке у бабушки и дедушки.

Существует версия, что ребенку хорошо там, где ему уделяют внимание, часто кормят, тепло одевают и водят в кружки. Это ошибочная версия. **Ребенку хорошо там, где родители. Даже если их концентрация в дне — это утром отвести в сад и вечером поцеловать перед сном. Все равно.**

Важно, что ребенок произносит слова «мама» и «папа». Мама меня заберет. Папа со мной поиграет. Слова имеют целительный эффект. Они как стражи перед внешним миром, оберегают и обещают, что все будет хорошо. И ребенок чувствует себя защищенным.

Я же тринадцать лет жила с ощущением, что меня забыли в детском саду. Мне тепло и сытно, но меня забыли. И мама меня не заберет, и папа со мной не поиграет.

Когда ребенок просто знает, что где-то они есть, его мама и папа, где-то живут, что-то едят, кого-то целуют, это имеет обратный эффект. Внутри растет растерянность. Что со мной не так? Почему целуют не меня?

Я знаю об этом точно. Мама и папа тринадцать лет целовали не меня.

А сейчас забрали целовать, потому что бабушка и дедушка умерли. И это наводит на мысль о том, что они были вынуждены забрать меня, и это действие снова не было продиктовано любовью и желанием.

Им придется меня целовать. Именно придется. И это как-то обидно.

Как следствие, к своим тринадцати годам я забита комплексами под завязку. На мне старая вытянутая кофта, надежно скрывающая зарождающуюся женственность, и растянутые до неопределенности штаны. На голове — неухоженная челка, за которой спрятаны глаза.

Папа нежно обнимает гитару.

— Что тебе спеть?

— Не знаю.

— Ну, какие песни ты любишь?

— Я? Я люблю Агутина, «Ase of Base».

Папа весело смеется в усы. Взахлеб.

На его смех в комнату заглядывает мама.

— Что тут у вас?

— Представляешь, я у нее спрашиваю: «Что тебе спеть?», а она говорит: «Ase of Base», — весело рассказывает папа.

— Спой ей о том, где и на что ты утром набрался, — хмуро говорит мама.

Она гасит папин смех, и в воздухе сразу повисает напряжение.

Папа хмыкает и закатывает глаза.

Я не понимаю, что произошло. Чувствую, что что-то плохое, и с этим надо жить.

Мама уходит. Папа начинает что-то напевать, но почти сразу откладывает гитару.

— Нет настроения.

Я его понимаю. Мама пришла и украла настроение одним своим видом. Даже у меня. Человек такой, ясно.

Мне становится очень жалко папу. Я бы выбрала «ненавидеть», взяла бы гитару и ушла бы жить отдельно. Мне хочется его обнять. Но я не знаю, можно ли. И как вообще у них тут принято.

— Я должен тебе кое в чем признаться, — говорит папа.

Я замираю. Я не люблю тайны. Мне очень обременительно их хранить.

— В чем? — напряженно спрашиваю я.

— Оля, я курю.

— Слава богу! — выдыхаю я.

— То есть ты рада, что я курю? — удивился папа.

— Нет, конечно. Просто это такая... не страшная тайна. Курение же вредно. Его можно бросить.

— Это сложно. Пойду покурю. На балкон.

— А можно с тобой?

— На тебя будет дым лететь...

— Ну и что. Это же твой дым. Он не противный.

Мы идем на балкон. Проходим через кухню. Там мама что-то жарит в сковородке.

— Нельзя было к нашему приезду хотя бы макарон сварить? — спрашивает она папу. У нее такой уничижительный тон. Мы с папой переглядываемся, и я глажу его по спине, мол, держись.

Папа закуривает. Смотрит вниз с балкона. Внизу детская площадка, на ней играют дети, катаются на качелях. Рядом с детьми — их мамы и папы. И дети счастливы.

Рядом со мной тоже мама и папа. Наконец-то. Но я почему-то не счастлива. Снова. Что со мной не так?

— Где сдача? Я дала тебе деньги, на которые можно было купить пять кило картошки и мяса, а ты купил три сосиски и пачку макарон. Где деньги?

— Украли. Вытащили из кармана.

— Украли? Что ж ты идиотку из меня делаешь! Украли! У тебя прям у подъезда крадут, собутыльники твои! — Мама что есть силы хлопает дверью балкона.

Папа, низко опустив голову, смотрит вниз.

— Мне так жаль, что тебе приходится это слышать, — тихо говорит он.

— Пап, я верю, что у тебя украли деньги.

— Правда?

— Правда.

— Главное, я в задний карман положил и иду за овощами.

— Не объясняй. Я верю. Почему мама не верит, пап?

— Мама... Мама... очень сложная женщина, Оля. Она всегда недовольна и разговаривает всегда так.

— А зачем ты терпишь?

— Я люблю ее. И тебя люблю. И...

Папа замолчал. Я знаю, что он хотел сказать. Он хотел сказать, что Диму, моего родного брата, он тоже любит.

Но три года назад Дима пропал без вести. Мама рассказала мне на прошлой неделе. Я не плакала. Я не поняла, что это значит. Поняла только, что мне ни с кем не придется делить комнату и что Димы дома нет, но он не умер, а значит, вернется. Надо просто подождать.

Я умею ждать. Я делаю это лучше всего на свете. У меня тринадцатилетний стаж ожидания.

Я дышу дымом от папиной сигареты и нахожу этот запах приятным.

Мы выходим с балкона.

— Давай-давай, — ревностно говорит мама в спину отцу. — Понянчи доченьку. Хороший папочка. Вспомнил через тринадцать лет.

Эта фраза поражает меня. В ней как бы мама дружит со мной против папы. Она была бы уместна, если бы мама жила со мной, но она жила с папой, и поэтому эта претензия относится и к ней в равной степени.

Я оборачиваюсь к маме, мне хочется попросить ее выбрать другой тон, но она ласково говорит мне:

— Садись кушать, дочка.

— А папа? — растерялась я.

— А папа уже накушался. Ты что, не видишь?

Папа психует и уходит к себе в комнату. Я опускаю голову.

Кажется, я понимаю, почему тринадцать лет я жила в другом месте.

Этим двоим не до меня.

Они созависимы, переплетены спрутом взаимных претензий и не хотят ничего менять.

Я тут всего пару часов, а уже устала. Я будто стою на сквозняке взаимной ненависти, той самой, до которой один шаг от любви. И разряды молний, полные разочарования и разбитых ожиданий от разрушенных судеб, пронизывают меня насквозь.

— Я не голодна, — говорю я.

Я очень голодна. Но это моя солидарность с папой. Мама — диктатор. Она давит и унижает, а у него просто украли деньги.

— Оля, твой отец алкоголик. Это когда ты хочешь выпить всегда и находишь такую возможность. Он сейчас не очень пьян, но это просто подарок на твой приезд. Обычно он сильно пьян. Он не работает и никому не нужен. И живет за мой счет. И деньги у него не украли. Он их пропил. Садись есть.

— Нет.

— Что нет?!

— Я не верю. Дима пропал. Папа пьет. Что за бред? Если он алкоголик, зачем ты с ним живешь?

— Оля, мы разведены давно.

— Как разведены? Почему я не знаю?

— Я не хотела тебя волновать.

— Правда? А в чем разница: волновать тогда или сейчас? Или сейчас я не волнуюсь?

— Успокойся, девочка. Сядь.

— Нет уж. Давайте тему до конца раскроем. Какие еще плохие новости я должна узнать? Дима пропал без вести. Папа алкоголик. Вы разведены. Что еще? Что?

— Больше ничего, успокойся, — говорит мама и закуривает сигарету.

— Ты куришь? — поражаюсь я.

— Да. После того, как пропал твой брат, я начала... Не могу бросить...

Я обессиленно сажусь на стул. У меня гудит голова. Я не верю. Не верю. Не верю.

— Оля, я не хотела все сразу на тебя вываливать. Хотела постепенно. Думала, ты сама все поймешь. Но вижу, что ты совсем ребенок. Ты не видишь ничего. Жалеешь не того.

— А кого жалеть надо, мам? Тебя?

— Я впахиваю как проклятая на двух работах, а он и охранником не может месяца продержаться нигде. Не кормить его я не могу, он же твой отец.

Я не поняла эту фразу. Я как бы виновата оказалась, что мама вынуждена кормить папу.

— Ладно. Давайте все поедим. Саша! — кричит мама в сторону комнаты. — Иди сюда. Давайте все поедим.

В ответ тишина.

— Саша!

Тишина.

— Иди позови его, — кивает мама. — Я салата подрежу.

Я захожу в комнату отца. Мне в лицо бросается резкий, яркий запах алкоголя. Он спит на нерасстеленной кровати, приобняв гитару за бедро. Храпит.

— Пап, — говорю я тихо. И понимаю, что не надо его будить. Пусть поспит.

Сзади подходит мама, оценивает ситуацию, уверенно идет к кровати отца.

— Не буди, — пугаюсь я. — Спит человек.

Мама наклоняется и из-за дальнего угла кровати, того, что прислонен к стене, достает бутылку водки. Пустую.

Мама поворачивается ко мне, показывает свою находку и говорит тихо:

— Ты сама все поймешь, девочка моя, а сейчас иди ешь.

Я ем макароны, низко склонившись над тарелкой, и думаю о том, что тринадцать лет я рвалась сюда, к маме, папе и брату, и представляла, как вернусь и буду счастлива.

Мне казалось, тут дом, пахнущий пирогами, общий смех, папины песни и мамины поцелуи на ночь.

А эта квартира пахнет скандалами, сигаретами и отчаяньем двух несчастных людей. Я живу в ней два часа и уже хочу сбежать.

А еще... Еще я физически чувствую, как взрослею.

Нитка

Более двадцати лет назад пропал без вести мой родной старший брат.

Сочувствия не нужно: жизнь сложилась так, что я его почти не знала, и не могу ощутить в полной мере чувство потери.

Пока он жил с родителями, я жила в другом городе, с бабушкой и дедушкой, а когда родители забрали и меня оттуда, брата уже не было. По сути, как бы ужасно это ни звучало, я видела его несколько раз в жизни и почти не помню.

Однако меня не сразу отправили в ссылку: первые мои одиннадцать месяцев жизни мы жили все вместе. На черно-белых фотках десятилетний лохматый парень нежно держит меня, полугодовалую, на руках. Мама говорит, он меня очень любил. На фото он еще смотрит в кадр двумя глазами.

Спустя пару лет он потеряет глаз по нелепой случайности: в брата выстрелят из игрушечного лука игрушечной, но острой стрелой и... попадут.

На всех последующих фото у него глазной протез, и, к сожалению, это заметно.

Думаю, он очень переживал по этому поводу. Я бы очень переживала.

— Мам, он переживал?

— Я не замечала.

Не удивительно. Мама всегда замечала только свои переживания.

Она лет десять не замечала, что у меня появилась семья. Хотела, чтобы я жила с ней «за себя и за того парня». **Я же вышла замуж. Предательница.**

Помню, как брат приезжал к бабушке и дедушке, туда, где жила я, и привозил разноцветные круглые жвачки. Я его очень ждала всегда. Просто я любила жвачки, но мне их не покупали, а брат привозил.

Мне было, наверное, лет шесть. Ему — шестнадцать. В этом возрасте такой разрыв — пропасть. О чем нам говорить?..

Он отдавал жвачки и уходил во двор, к пацанам.

Я же говорю, я его вообще не знала.

Его нет уже более двадцати лет. Целая жизнь. Через семь лет с момента, когда он пропал и его не нашли, государство автоматически признало его умершим. Его фамилии с инициалами больше нет даже в квитке коммунальных платежей.

Живой человек включает свет и моется в горячей воде, а пропавший без вести этого не делает, и государство словно учитывает этот факт.

Однако мне категорически не нравится думать, что он умер, поэтому я решила думать, что уход брата — это его выбор. И он где-то сейчас живет. Ему сорок пять. Мне кажется, у него нет семьи, потому что семья ежедневно качает твои душевные мышцы и развивает твою способность любить, и если бы он любил, умел любить, он бы обязательно вернулся. Позвонил бы в дверь и сказал:

— Привет. Узнала?

Я бы улыбнулась в ответ:

— Шутишь? Проходи. Есть будешь?

А он бы все стоял и стоял... И я бы все стояла и стояла...

Конечно, я пыталась его искать. И через органы, и даже через экстрасенсов. Кстати, это моя последняя блажь. Дорого берут, кстати.

Муж, давая деньги, уточнил:

— Зачем тебе это?

Он любит, когда все рационально.

Как объяснить? Действительно, зачем? Мне почти тридцать пять, и все эти тридцать пять лет по триста шестьдесят пять дней я прожила без брата. И вдруг сейчас в моей жизни появится сорокапятилетний мужик, чужой, высокий, волосатый или лысый, толстый или худой, с какими-нибудь психическими проблемами (в моей семье без них не вырасти), и этого мужика надо любить, просто так, безусловно, потому что он брат. Сложно...

Я не знаю, зачем мне это. Зов крови?

— Я буду его любить, — отвечаю я мужу.

— Тебе есть кого любить, — напоминает муж.

Черт побери, он прав. Но в этом вопросе нам с мужем не найти понимания: он вырос в идеальной многодетной семье, где всем есть до всех дело: мама, папа, два сыночка и лапочка дочка. Их можно фотографировать на постеры для рекламы йогуртов, новостроек и гипермаркетов.

Как ему понять брошенную девочку Олечку с кульком подтаявших разноцветных жвачек в потной ладошке, которой очень нужен брат, потому что его доля любви заморожена в глубине ее маленького сердечка?

«Ты как про пачку пельменей говоришь», — хмурится муж.

Нет, все-таки он не может меня понять, муж может просто принять и поддержать. Поэтому он дает денег на дорогущего экстрасенса, к которому я иду на прием с фотографией брата. Сердце колотится. Экстрасенс смотрит на меня без интереса. К нему приходят люди и хотят чуда, но он не волшебник, он просто интуит. И у него усталый вид. Возможно, он поссорился с женой из-за некупленного списка продуктов или у него болит живот.

Я протягиваю фотографию.

— Мне кажется или у него что-то с глазом? — уточняет экстрасенс.

— Вам не кажется, — отвечаю я, а сама думаю: «Переживал».

Экстрасенс держит руку над фотографией.

— Я чувствую холод, — говорит он.

— Что это значит? — спрашиваю я, хотя знаю, что это значит.

Вместо ответа он берет тяжелую иглу на нитке. «Если игла будет крутиться, ходить качелями, значит, человек жив, если застынет, остановится, значит, нет», — говорит экстрасенс.

Он подвешивает иглу над фото. Игла застывает как вкопанная.

— До свидания, — говорю я. К черту экстрасенсов. Что он может знать о человеке, о котором ничего не знает даже его родная сестра?

Мама говорила, что брат пропал, выйдя на лестничную клетку в тапочках и спортивных штанах вынести мусор. Как такое может быть в многомиллионном городе? Объясните мне! Это же не деревенский дом на окраине, а огромная панельная двадцатидвухэтажка в спальном районе Москвы! Как?

Я чувствую подвох. Я чего-то не знаю. Мне чего-то не говорят. Подозреваю, что мама хоронила в этой недосказанности свои педагогические промахи.

Зачем? Я же тоже ее дочь, и все эти промахи мне очевидны.

Ну да не суди. Не дай Бог никому на свете пережить такое. Я смотрю на своего сына, и у меня холодеют руки от мысли, что он может вырасти, надеть тапки и спортивные штаны, взять мусор, выйти на лестничную клетку и...

Нет! Я бегу к иконам и долго и часто крещусь. Господи, не оставляй своим благословением...

Я смотрю на сына и истово хочу научиться замечать. Замечать, если он будет переживать. Даже из-за каких-то незначительных на первый взгляд вещей, из-за ерунды.

Однажды сын попросил у меня пятьдесят рублей.

Мы с мужем как раз пытались внедрить в его сознание ценность денег, объясняли, как сложно их зарабатывать, и, приучая к самостоятельности, периодически просили шестилетнего сына самого купить себе батон или мороженое. Я не увидела в просьбе ничего страшного и дала деньги.

Утром я вела сына в сад. Мы опаздывали. Точнее, я — на совещание.

— Мам, а сложно тебе было заработать пятьдесят рублей? — озадаченно и чуть напряженно спросил сын.

Мы были уже на территории сада, я спешила, мне совсем некстати был этот разговор, и я скомкано ответила что-то невнятное про то, что деньги вообще достаются не просто. Потом я попросила его больше не драться (вчера он подрался с Аркашей, но так и не смог мне объяснить, почему) и отправила переодеваться.

Оставив сына воспитателю, я заспешила к машине и... остановилась.

Я ПОНЯЛА, ЧТО МОЕГО РЕБЕНКА ЧТО-ТО ТРЕВОЖИТ. ПОЧУВСТВОВАЛА.

Я заметила(!), что это был вопрос, продиктованный не просто праздным любопытством.

Надо вернуться. Обязательно надо.

Я вбежала в группу и позвала сына. Мы вышли в коридор.

— Что случилось, Дась? Почему ты спросил про пятьдесят рублей?

— Потому что... Потому что... Я их сегодня потрачу, но ничего не куплю.

— А на что ты их потратишь? В садике-то? — удивилась я.

— Аркаша украл моего любимого зайца. Того, с которым я сплю. Вчера во время тихого часа. И сказал, что вернет за пятьдесят рублей. Мне очень нужен мой заяц, потому что я без него не засну, но, когда я отдам Аркаше деньги, получится, что я ничего не куплю, а просто верну своего зайца. А ты работала за эти деньги, и они тебе тяжело достались. И мне жа-а-алко-о-о...

Я обняла моего плачущего сына, стала гладить его по спинке и успокаивать. Я поняла, что все делаю правильно.

ХОРОШАЯ МАМА — НЕ ТА, КОТОРАЯ КРУГЛОСУТОЧНО РЯДОМ, ВАРИТ КАШУ И ЧИТАЕТ АГНИЮ БАРТО, А ТА, КОТОРАЯ РЯДОМ ТОГДА, КОГДА НУЖНА СВОЕМУ РЕБЕНКУ. И ЭТО ОЧЕНЬ ВАЖНО ИМЕННО ЗАМЕЧАТЬ, ПОНИМАТЬ, ЧТО ВОТ ИМЕННО СЕЙЧАС ТЫ НУЖНА.

— Сынок, спасибо, что ты рассказал мне эту историю. Аркаша поступил плохо, неправильно. Он украл.

— Я знаю, мы дрались вчера, но без толку. Он спрятал зайца, и я не знаю, где он.

— Дась, давай так. Если ты отдашь денежку Аркаше, то он победит. И подумает, что воровать — это хорошо, потому что он своровал — и заработал на мороженое. Драться с ним тоже бесполезно. Можно решить ситуацию хитростью. Поступить как Аркаша.

— Как? У Аркаши нет зайца! Он вообще спит без игрушек.

— Зато у Аркаши есть кроссовочки, в которых он гуляет.

Сын посмотрел на меня очень внимательно. Он понял, к чему я клоню.

— Я не забираю у тебя деньги, Дась. Ты можешь просто выкупить у Аркаши своего зайца, а можешь проучить и показать ему, как обидно, когда у тебя воруют вещи.

— Я спрячу его кроссовки в подвал. Я знаю, какие они — зеленые. И скажу ему: отдам кроссовки в обмен на зайца, иначе тебе не в чем будет идти гулять! — сказал мой ликующий сын.

Я обняла его, поцеловала в макушку и сказала: «Дай пять!» — и, совершенно вдохновленная, побежала на работу.

Замечать очень важно. Спасибо, мама, за урок.

Замечать нужно даже не ради детей, а ради себя. Чтобы ребенку никогда не захотелось уйти.

Перед родами мама просила меня назвать будущего сына Димой. В честь брата.

Но я где-то читала, что в этом случае у моего сына возрастают шансы повторить судьбу брата. Поэтому я резко отказала.

Мама, конечно, обиделась, но я осталась непреклонна. Моего сына зовут Данила. Точка.

В день рождения брата, а также в день, когда он ушел, мама обычно зажигала свечи, ставила его фотографии рядом с иконами и плакала.

Она его ждала.

При этом мама злилась на меня, что я в такой день живу обычной жизнью: хожу в магазин, готовлю еду, гуляю с ребенком. Мама ждала моей скорби и обвиняла меня в бесчувственности.

Я же не хотела лицемерить, не желала подыгрывать таким ее желаниям, потому что я не могу плакать по заказу. Да, я потеряла человека, которого никогда не знала, но это лишь факты, а не эмоции.

Тем не менее я очень хочу его обрести. Внезапно так найти брата.

Когда не стало мамы, спустя полгода я должна была вступить в права наследства. Я пришла к нотариусу.

— Есть другие наследники? Вы единственный ребенок? — уточнил нотариус.

— Нет, — сказала я.

— Что нет? Нет наследников или не единственный? — нахмурился нотариус.

— У меня был брат, который пропал без вести. Он признан умершим.

— Есть документы?

Я стала искать документы, но не нашла и удивилась. Как же так? У любого умершего человека должно быть свидетельство о смерти.

Я стала рыться в маминых документах, читала все подряд и вдруг обнаружила письмо, адресованное маме, из отдела уголовного розыска МВД. В письме было написано, что в 1999 году дело по розыску моего брата было прекращено «в связи с установлением местонахождения разыскиваемого».

Я прочла и замерла. Значит, жив. Получается, застывшая над фотографией нитка ничего не значит. Значит... Во мне всколыхнулась надежда.

Я представила, как жду брата в гости и леплю ему мои фирменные пельмени. Мне захотелось немедленно бежать за мясом и мукой.

«...Точный адрес пребывания инициатору розыска не сообщается, в случае если разыскиваемое лицо достигло совершеннолетия и не является психически больным или ограниченно дееспособным».

Я прочла два раза. Следователь словно написал моей маме: **«Мы нашли вашего сына, но он не хочет домой, не хочет возвращаться к вам».**

Я сползла на пол по стене. Не хочет. Он не больной, дееспособный. Он просто не хочет. Он не замечает маму, как она не замечала его. Мстит? Взрослый дядька мстит старой, больной, разрушенной судьбой, стрессом и болезнями женщине?

Я позвонила своей знакомой Ксюше, которая всю жизнь работает в Следственном комитете. Рассказала ей ситуацию, пересохшими губами прочитала письмо.

— Оля, не пори чушь. Ребята просто закрыли дело, чтобы не было висяка. — объяснила Ксюша. — Никого не нашли, не переживай. Просто кто-то получил премию или не получил выговор. Это просто бумажка. Даже если на ней написано «нашли», это ничего не значит. Такая ситуация — очень распространенная практика, понимаешь? Это Россия, детка...

Я заплакала.

Нитка замерла над фотографией брата. Прямо пронзила острым копьем его раненый глаз. Я поняла, почувствовала, осознала: он никогда не позвонит в мою дверь, не зажжет свет, не включит горячую воду и не съест пельмени... Нет других наследников.

Нет папы. Нет мамы. Нет последней надежды — старшего брата. Я одна.

Одна-одинешенька. И теперь первая в очереди «ТУДА».

Гольфы

Мы собираемся в парк аттракционов.

Я надела летнее платье. То, что нарядное. Красного цвета.

Мне его привезла мама.

Привезла — и уехала.

Все мое детство она приезжает и уезжает, а я запоминаю почему-то только то, как она уезжает.

Наверное, эта эмоция при расставании сильнее счастья ее присутствия.

Обычно я очень-очень жду маму. Всем сердцем.

Но время с ней проносится мгновенно.

И вот уже стоит упакованный чемодан.

С каменным лицом я машу в окно. Не плачу. Я потом заплачу, вечером, когда буду ложиться спать.

Это платье очень нарядное, я в нем похожа на ягодку. Клубничку.

Мама привезла в подарок мне и сестре одинаковые гольфы. Тоже красные, с рисунком, в упаковке с гномиком. Гольфы подходят к платью. Я их надену в парк. Поэтому придется распаковать, хотя смотреть на них в упаковке мне очень нравится.

Мы идем в парк с дядей Колей.

Я, двоюродная сестра Катя и ее папа, дядя Коля.

Сейчас мы живем вместе. Так сложилось. Я этому рада. Мы с сестрой одногодки. Очень здорово, когда у тебя есть сестра.

Дядя Коля кричит нам из прихожей:

— Вас долго еще ждать?

Нет. Не долго. Мы готовы.

Я тороплюсь, натягиваю гольфы, выбегаю в прихожую. Втроем мы выходим на жаркую улицу.

Дядя Коля расстроен. У него всегда грустное выражение лица. У него не ладится с Катиной мамой, поэтому он грустит.

Это какие-то взрослые дела, я их не понимаю.

У моих родителей тоже не ладится. Мама не любит говорить о папе, а папа — о маме. И приезжают они всегда по одному. Вместе — никогда.

Объясняют это дороговизной билетов. Но я подозреваю, что деньги там ни при чем. Они просто не хотят вместе.

Мы стоим на остановке, ждем троллейбуса.

Чтобы развлечь себя, мы с Катей ходим по опасному бордюру вокруг клумбы.

— Катя, осторожнее, пожалуйста, — говорит дядя Коля.

Я тоже хожу по бордюру, но мне никто не говорит «осторожнее».

Мне кажется, что, если упадет Катя, дядя Коля испугается, а если я — разозлится.

Он вынужденно несет ответственность и за меня, но он не просил эту нагрузку, поэтому злится на моих родителей, которые далеко, а получается, что страдаю от этого я.

В троллейбусе жарко. Мы прилипли к окну.

— Пить хочешь? — спрашивает дядя Коля у Кати, не у меня.

Катя кивает папе, берет бутылку, делает глоток, передает мне бутылку.

Катя не хочет пить, но видит, что я хочу, и выручает меня. Она всегда это делает, за что я ее отчаянно люблю. Но иногда мне хочется благородно отказаться от ее участия. Мне от него не по себе.

Дядя Коля — электрик. Он работает в крупном универсаме и очень любит свою дочь, поэтому он каждый раз приносит ей с работы сюрпризы.

Например, жвачку, ручку, шоколадку. Какую-то мелочь.

Катя тоже очень любит папу. Она его жалеет. Ей кажется, что мама его обидела, и Катя пытается его защитить.

Однажды я видела, как Катя смотрела на маму, когда она говорила что-то обидное папе. В Катином взгляде было много грусти и осуждения. Потом она подошла и обняла папу, и это было сильнее слов.

Они с папой часто обнимаются. Мне тоже хочется обниматься с ними, но я понимаю, что этого нельзя делать. Я — третий лишний.

Мы живем вместе.

Обычно мы обе, заслышав ключ в замочной скважине, выстреливаем в прихожую.

Катя кричит: «Папа!» — а я: «Дядя Коля!»

Он заходит грустный и уставший. При виде дочери его лицо расцветает улыбкой. Он приседает и обнимает ее очень нежно, Катя виснет на папе.

Я в этот момент стою рядом, но меня как будто нет.

— Угадай, что я тебе принес, — говорит дядя Коля.

— Не знаю, — улыбается Катя.

Дядя Коля лезет в сумку и достает подарок. Например, конфету.

— Ур-р-ра! Спасибо, папа, — говорит Катя и целует его в щеку.

— Мы ее вместе съедим, — говорит Катя мне.

Катя очень добрая. Она всегда делится со мной и даже отдает свое. Но каждый раз в этот момент мне хочется сказать: «Не надо», — развернуться и уйти. Я не знаю, что это за чувство у меня внутри, не понимаю, но оно похоже на гордость. Это же не моя конфета, ее купили не мне. Почему не купить две конфеты? Ведь дома тебя ждут два ребенка. Или если две конфеты — это дорого, почему не купить одну, но сказать: «Это вам, вам обеим».

На деле же получается, что я словно отбираю у Кати ее конфету. Беру чужое. И именно от этого мне не нравится эта конфета. Она не вкусная.

Я понимаю, что взрослая жизнь — это много-много сложных чувств.

Мы приходим в парк. Парк — это всегда обещание счастья. Взявшись за руки, мы с Катей вприпрыжку бежим на карусели. Две легкие веселые девчонки.

Я помню это ощущение счастья внутри, словно раздутые паруса, полные ветра. Хочется взлететь. Смеяться.

ДЕТИ ЗАРЯЖЕНЫ ДЕТСТВОМ И СЧАСТЬЕМ, В НИХ ЕЩЕ МАЛО ОСОЗНАННОСТИ, ПОЭТОМУ МНОГО СЧАСТЬЯ.

Мне кажется, что я очень-очень красивая. На меня смотрят люди, и я им нравлюсь. Они улыбаются. Я ловлю в себе счастье, слушаю его. Это очень редкое ощущение. Оно приходит и уходит так быстро, что о том, что оно приходило, я узнаю по факту. Счастье как мама. И большую часть времени я просто грущу о том моменте, когда была счастлива.

— Надо подождать папу, — говорит сестра.

И я помню, как мы разворачиваемся и смотрим, как приближается к нам дядя Коля. Ему жарко, он идет в плохом настроении.

Он смотрит на меня, и его лицо излучает пренебрежение. Тогда я еще не знала названия этого чувства. Сейчас — знаю.

— Посмотри, как ты надела гольфы. Их надо натягивать до колен. А ты сейчас выглядишь как...

Он говорит слово на букву «ш», но я его не поняла и не разобрала. Дядя Коля сказал так тихо и поморщился.

Я замечаю, что и правда все девочки вокруг тоже в гольфиках, и все они натянуты ниже коленок, а я не знала и тянула их до предела — выше колен, отчего смотрятся теперь мои гольфы как чулки.

Вот почему все улыбались. Они просто смеялись надо мной. Мне становится стыдно, и я хочу провалиться сквозь землю. Почему никто не сказал раньше? Катя почему не сказала? Я смотрю на сестру и вижу слезы в ее глазах. Она плачет из-за меня: она просто не заметила или тоже не знала. При этом ее гольфы надеты правильно.

Катя приседает и поправляет мне гольфы, и я вижу, как она смотрит на папу: как тогда на маму — с грустью и осуждением, мол, почему ты не сказал.

Потом Катя меня обнимает, и мне сразу хочется плакать. Это ее жалость проникает в меня. Жалость, упакованная в сестринскую любовь. Иногда мне кажется, что меня никто, кроме Кати, и не любит...

Внутри царит звенящая пустота. Счастья больше нет. Хочется домой. Мы медленно идем к каруселям, взявшись за руки. Только я больше не хочу кататься.

Больница

Я пришла в больницу навестить маму. Больница психиатрическая.

Я никогда раньше не была в таких заведениях, не знаю, что можно, что нельзя и как себя нужно вести. Поэтому мне слегка не по себе.

Санитарка при входе протягивает мне бахилы и проводит ревизию всего, что я принесла: проверяет на отсутствие в вещах признаков опасности для пациента.

Откладывает в сторону любимую мамину чашку с красными вишенками: это нельзя. Ведь чашку можно разбить и перерезать вены себе или соседу по палате. Об этом я не подумала...

— Проходите, — кивает санитарка на дальнюю по коридору палату без дверей.

Я вхожу — и сразу вижу маму.

Она сидит нахохленным воробышком на ближайшей к выходу кровати, опустив голову, в каком-то застиранном рваном халате, непричесанная, несчастная, худые морщинистые ручки лодочками лежат на коленях, один тапочек трогательно слетел с худой, бледно-синеватой ноги...

У меня щемит сердце. «Может, забрать ее отсюда?» — спрашивает тронутый увиденным внутренний голос.

Тихо подхожу к ней, кладу руку на плечо:

— Привет. Как ты?

Я давно не произношу слово «мама». Не могу. Оно словно застревает в горле.

Маленькие дети часто не выговаривают букву «р». Я не выговариваю слово «мама».

Она вздрагивает, поднимает на меня пустые глаза, которые тут же наливаются яростью.

— Ты зачем пришла? Позлорадствовать? Упекла меня сюда, а теперь совесть мучает? Посмотреть пришла, как я тут, в «пансионате», устроилась?

Палата рассчитана на восемь коек. Все они заняты. Остальные семь пациенток замерли, смотрят на нас с интересом.

Мне неловко, неуютно. Хочется отдать передачку и скорее уйти. Внутренний голос уже молчит и ничего не предлагает.

— Сигареты принесла? — грубо спрашивает меня неопрятная опухшая женщина с большим щербатым ртом.

— Нет. — Я растерянно машу головой.

— Сколько стоит сделать человека психом, а? Расскажи, нам тут всем интересно! Полюбуйтесь, девочки, вот пришла мошенница, предательница, сволочь... — мать полыхает гневом, глаза красные, на губах запеклась слюна.

Она не признает наличие в себе болезни, влияющей на адекватность ее поведения, и злобно ищет виноватых в своем заключении в психушку. А что их искать-то — вот она я...

— Дайте, пожалуйста, телефон позвонить маме, — тихо просит кроткая девушка, почти девочка, сидящая на кровати у окна. — Я по маме скучаю...

У нее промытое нежное личико, взгляд Аленушки, и даже волосы заплетены в косичку с пробором. Не хватает платочка и сарафана для полноты образа...

Не задумываясь, я подхожу и протягиваю ей телефон. Она забирается на кровать с ногами в теплых вязаных оранжевых носках (наверное, мама вязала?) и вдохновенно набирает номер, который помнит наизусть. Лицо ее оживляется, появляется румянец.

«Господи, она-то тут как оказалась?» — думаю я, наполняясь сочувствием.

Возвращаюсь к матери под безжалостным дулом восьми пар глаз и спрашиваю:

— Скажи, что тут можно, что нельзя, что тебе еще надо для пребывания, я просто не знаю...

— Ничего мне от тебя не надо. — Мать поджимает губы, демонстративно отворачивается.

Ей нравится играть эту роль для благодарных зрителей — держать образ гордой и несломленной предательством женщины.

Она отрицает свою болезнь, как и большинство здешних пациентов: их искаженная реальность кажется им нормой, а все, кто так не считает, — враги. Как правило, врагами назначаются самые близкие родственники, для которых искаженное сознание человека становится ежедневной проблемой и зачастую представляет опасность для жизни всей семьи.

— Ты очень красивая, — обиженно говорит закутанная в пододеяльник женщина-мумия в самом углу.

— Спасибо, — приветливо улыбаюсь я в ответ.

— Прямо светишься вся. Здесь никто обычно не светится. Наоборот. Смердят.

— Она на сносях, не видишь? — вступается за меня Аленушка.

— Сигареты принесла? — снова спрашивает Щербатый рот.

— Нет, — снова отвечаю я, пряча недоумение.

— Вот тут вещи твои, спортивный костюм, ночнушка, белье, полотенце, а тут — вода, конфеты, печенье... — смущаясь, говорю я матери и протягиваю пакет.

— Вот сама и жри! — огрызается мать, отталкивает пакет, он падает на пол, разрывается, и из него брызгают конфеты разноцветным салютом.

Тяжело приседая, я встаю на одно колено, собираю конфеты. Я на восьмом месяце беременности.

— Сигареты принесла? — Щербатый рот.

— Нет, — отвечаю я с раздражением.

В этот момент в палату входит импозантный врач в кипенно-белом халате со свитой из двух санитарок. Врач выглядит как суперзвезда из сериала про «Скорую помощь», он красив и загорел, под халатом — джинсы. Такой расслабленный врачебный кэжуал-стайл.

Я встаю с колен, здороваюсь.

Мать мгновенно преображается, надевает улыбку.

— Как дела, девочки? — громко и бодро спрашивает врач у всех сразу.

— Хорошо, — несинхронно отвечают «девочки».

— Хорошо, Антон Геннадич, — солирует вдруг мать. — Ко мне вот дочь приехала. Красавица. Умница. Сейчас беременна...

— Это очень хорошо, — улыбается мне врач. — Потом зайдите ко мне, кабинет 15, пообщаемся про вашу матушку.

— Хорошо.

— Да, доктор, мы вот внучечку ждем. Внук уже есть. Данечка. Только он сейчас в детдоме...

Врач вопросительно смотрит на меня: мол, почему в детдоме. Я отрицательно машу головой:

— Это у нее навязчивые видения. Он в садике...

— Антон Геннадьевич, ну мы же здесь все понимаем, — мать заговорщически подмигивает врачу. — Что я здесь случайно, по недоразумению. Пока дочь тут, на машине, давайте оформим выписку, и мы с ней домой поедем... Да, дочур?

Я ОШАРАШЕННО СМОТРЮ НА МАТЬ, ПОРАЖЕННАЯ ЕЕ ПРЕОБРАЖЕНИЕМ И РЕЗКИМ ПЕРЕХОДОМ ОТ НЕНАВИСТИ К ПРИВЕТЛИВОСТИ.

— Посмотрим, — примирительно говорит врач и подмигивает мне.

И вдруг девушка у окна, та, что Аленушка, начинает истерично орать в мой телефон:

— Алло! Я выйду отсюда нах...й и порежу себе вены, слышишь, мудак ё...анный, а сначала убью твою шлюху сраную и тебя тоже, козлина вонючий...

У нее вздулись вены на шее, изо рта летит слюна, глаза безумные. Вот оно, состояние аффекта...

— Кто дал ей телефон? — озабоченно кричит врач и вместе с санитарками бросается к девушке. Они втроем наваливаются на нее, пытаются сделать укол, со стороны выглядит, будто они хотят ее задушить, и я вижу, как постепенно стихает агрессивное сопротивление вязаных оранжевых носков под действием укола.

Я застыла от ужаса. Здесь запрещены мобильные телефоны? Я не знала.

— Сигареты принесла? — спрашивает Щербатый рот. Я ощущаю ее дыхание на шее: так близко она подошла сзади, нарушила личное пространство.

— Нет, — я отстраняюсь.

Мать смотрит на меня торжествующе. «Видишь, в каком я аду? По твоей вине!» — читаю я ее взгляд.

Аленушка утихла, врач возвращает мне телефон, смахивая со лба потную челку. Он больше не выглядит импозантным: халат помят, две верхние пуговицы оторваны, глаза растерянные. Теперь он больше похож на местного пациента, который играет врача.

— Не давайте тут никому телефон. Это психиатрическая больница, а не переговорный пункт.

— Простите.

Врач быстро и как-то обиженно уходит. Наверное, в свой 15-й кабинет.

— Забери свою подачку, я к ней не притронусь! — шипит мать.

Спектакль окончен. Гаснет свет. И многоточий больше нет.

— Ну, отдашь кому-нибудь, санитаркам, девочкам. — Я пожимаю плечами и собираюсь уходить. — Теперь в субботу приду. Если что надо, ты врачу скажи, а я ему буду позванивать.

— В какую субботу? Ты издеваешься? Забери меня отсюда сейчас же! Кому говорю! Я здорова! Знаешь, каково это — жить среди психов? — Она кивает на оранжевые носки. — Они и ночью не спят! Я хочу домой! Я спать хочу! Иди к нему, выпиши меня!

Я отвожу глаза, говорю твердо:

— Я теперь в субботу приду! — и быстро, не оглядываясь, иду к двери.

В спину мне летит нестройный хор голосов:

— Сволочь! — это мать.

— Ты красивая... — женщина-мумия.

— Сигареты принесла? — Щербатый рот.

После беседы с врачом выхожу на улицу, залитую солнечным светом, и вдыхаю свободу полной грудью.

В список необходимых вещей на субботу сразу после сока, печенья, пластиковой чашки и очков дописываю сигареты для Щербатого рта. А вдруг ее никто не навещает?

Барто

Есть такие люди —

Им все подай на блюде!

Это Агния Барто. Но это про мою маму.

Она всю жизнь прожила в глухом убеждении, что люди вокруг существуют для того, чтобы решать ее проблемы.

Она никогда не боялась обременить собой. Наоборот, делала это легко, даже с вызовом. Сделай это для меня, тебе что, жалко, что ли?

И люди делали. Многие просто не умеют говорить «нет». А те, кто решался на отказ, попадали в черный список неблагодарных сволочей.

Мама и сама делала людям много добра, но не безвозмездно. Ее добро облагалось пожизненным налогом вечной благодарности.

— Он отказался везти меня на дачу, старый дурак, — сердилась мама.

— Ну, может, он занят? — пыталась я защитить неизвестного мне старого дурака.

— Он так и сказал. Когда же он просил меня захватить ему стройматериалы на «Газели» и я все организовала, я почему-то была не занята!

— Да, но это было пять лет назад, и тебе было по пути! — вспоминаю я давнюю историю.

Но у услуг, оказанных мамой, нет срока давности. Вчера или полвека назад — будь добр отдать долги.

— Люди — неблагодарные сволочи, — выносит мама диагноз всему поколению. — А этот старый дурак вдвойне. Пусть только попросит меня о чем-нибудь... — добавляет мстительно.

Для мамы просить — это ненапряжный полезный навык. Положительный глагол. Просить, дышать, есть, пить — обычные рутинные жизненные действия.

Я — другая. Я — ее антипод, потому что ненавижу просить. И дело не в заносчивой гордости. Я просто считаю, что никто никому ничего не должен, поэтому если я что-то прошу, то должна заплатить. Услугой, деньгами, своим расположением. Образно говоря, я предпочитаю сделать сама, чем «покупать» чужое одолжение.

И вопрос не про проблемы с делегированием. Здесь другое — глубинное стремление к самодостаточности.

Я наняла для мамы сиделку по имени Валентина. Ей пятьдесят шесть лет, но она бодра и подвижна, и возраст бледнеет перед активным характером и девичьей непосредственной улыбкой.

Валентина недавно похоронила отца, за которым ухаживала пять лет. При этом она с радостным смирением согласилась на эту работу: во-первых, дополнительный заработок, во-вторых, руки-то помнят.

Отец Вали долго и мучительно умирал от диабета. Последний год он был совсем плох, не узнавал родных, кричал в голос по ночам, а в редкие минуты просветления плакал в ладони дочери и просил его убить.

Валя из-под полы доставала «Галоперидол»[1] и колола отцу. Лекарство приносило облегчение всем: папа засыпал, а Валентина наслаждалась тишиной. Вечные стоны отца — тяжелый жизненный фон, от которого хочется сбежать в другую реальность, где твой любимый отец не умирает у тебя на руках, но нельзя. Действие «Галоперидола» заканчивается через четыре часа, и ухающие стоны возвращаются в беспросветную и безрадостную жизнь.

---

[1] «Галоперидол» — препарат противорвотного, нейролептического и антипсихотического действия. — *Прим. ред.*

Кто эти люди, настаивающие на запрете эвтаназии? Пусть эти гуманисты, взращенные на искаженных религиозных реалиях, поживут в Валиной квартире хотя бы сутки. Пусть даже не на месте корчащегося в предсмертных судорогах отца, страдающего не столько от физической боли, сколько от собственного существования в статусе обузы, а на месте дочери, которую везде в крошечной однокомнатной квартире преследует молящий о пощаде взгляд отца: «У-у-убе-е-ей!»

Валентина для меня находка. Она живет выше на два этажа и с филигранной мудростью и непробиваемой выдержкой общается с мамой исключительно как с пациентом.

А в этом и сложность.

Мама выглядит как здоровый, только что проснувшийся, но уже уставший человек со слегка замедленной речью. Утреннее, только после сна впечатление создает ежик волос, торчащий клочьями, который не приминается даже после расчесывания, и лицо со «шрамами» — отпечатками подушки, потому что спит она на животе вопреки всем рекомендациям врачей.

Мама говорит медленно и внятно, будто мудрец, декларирующий заповеди. Мне не хватает терпения дослушать ее до конца.

— Мне нужен новый ха...

— Халат. Хорошо. Я куплю.

— Теплый и с по...

— С поясом. Хорошо. Я куплю.

— И пусть эти мужики уйдут, — мать повышает голос, включает барыню-хозяйку.

Мы переглядываемся с Валентиной.

— Мужики? Тут никого нет, — нервничаю я.

— Ты зачем их привела? Они будут ночью душить меня подушкой.

— Мы тут втроем. Здесь нет никаких мужиков. Никто тебя не душит и не убивает, — я раздвигаю руки, желая продемонстрировать матери, что она видит то, чего нет. Раздражение рвется наружу.

— Ты с ними договорилась! — визжит мама. — Вы договорились сделать из меня ненормальную! Валя, скажи ей, она привела мужиков и хочет сделать из меня идиотку! — Мама нервничает, идет пятнами.

Валентина примирительно гладит меня по руке, а потом тихо говорит матери:

— Нина, я сейчас их прогоню, не нервничай. Они уйдут и не будут тебя мучить...

Первое время я бесилась. Спрашивала, **зачем подыгрывать больному воображению?** Валя объяснила, что противоречить — совсем не эффективная тактика, в результате которой мама просто разнервничается и случится приступ. Так что это не подыгрывание, а профилактика инсульта.

Я слышу. Понимаю. Верю, но не могу.

— Где Олеся? — спрашивает мама.

— Какая Олеся? — озадаченно уточняю я. У меня нет ни одной знакомой Олеси.

— Которая с тобой приходит каждый раз.

— А! — я вспоминаю Валины рекомендации. — Олеся на работе. Не смогла прийти.

— Сволочь какая неблагодарная. Жила здесь год, а навестить не может.

— Никто здесь не жил, — закипаю я. — Никакой Олеси нет! На вот, выпей сладкий чай, пока не остыл.

— Сама пей свой отравленный чай!

Я сажусь на кресло и исступленно тру виски. Я устала и не вижу выхода из этой ситуации, этот тупик угнетает меня. Валя гладит меня по плечу и тихо говорит:

— Оля, можно вас на разговор?

— Да, Валя, что случилось?

— Оля, я все понимаю, вижу, как вам сложно, особенно сейчас, в беременность, но я увольняюсь. Больше не могу. Ваша мама — очень тяжелый человек. Я не про болезнь, я про характер. Я все время в ауре ее злости, это очень тяготит.

— Валя, нет, не бросайте меня.

— Половину денег, которые вы мне платите, я трачу на успокоительные.

— Валя, я увеличу зарплату, сколько надо, вы только скажите.

— Оля, я доработаю неделю или сколько надо, пока вы не найдете новую сиделку, но я ни за какие деньги не хочу больше это терпеть. Простите меня. Но я хочу жить, спокойно, сколько отмеряно, а ваша мама заражает флюидами страданий и ненависти. Я стала невыдержанная, нервная. Я становлюсь как она.

Я закрываю лицо руками и глухо всхлипываю.

Это восьмая сиделка с начала года. Они бегут, точнее судорожно сбегают от нас, не оглядываясь, и я их не осуждаю.

Я понимаю Валентину, как никто.

Мать девяносто пять процентов времени проводит в плохом настроении, хандре и рефлексии о всесторонней людской неблагодарности. Она полна ненависти к людям и жалости к себе.

А я ее дочь. Во мне течет ее кровь и бушуют ее гены. Иногда, когда мне плохо, я тоже себя жалею и самозабвенно страдаю. **Упоение болью — это наркотик. Можно влюбиться в это ощущение, подсесть на него и выбрать его жизненной страте-**

гией. Я боюсь этого и быстро трезвею от прилипчивой жалости к себе. Нет-нет-нет!

Мой муж знает, что самое обидное, что он может сказать мне во время ссоры, это фраза: «Вот сейчас ты похожа на свою мать!»

Это фраза — пощечина. Я сразу задыхаюсь негодованием и включаю защитную ненависть к мужу. Эта фраза — нож в спину, поэтому моментально запираюсь в коконе обиды и оттуда планирую месть.

МОЯ МЕСТЬ ПРОСТА, ЕСЛИ НЕ СКАЗАТЬ ПРИМИТИВНА: СОБРАТЬ ВЕЩИ И УЙТИ.

Я сама у себя и у мужа — единственный козырь, могу отобрать у него только себя и тем самым наказать за словесное рукоприкладство. Я начинаю собирать вещи в чемодан и мгновенно погружаюсь в горькую жалость к себе.

Упиваясь своим благородным страданием, я вдруг понимаю: «А вот сейчас я похожа на свою мать». А это значит, что муж прав, а за правду не наказывают, поэтому я начинаю выкладывать вещи обратно, из чемодана на полки.

— Вам следует уделять матери больше внимания, ей не хватает общения, — не скрывая осуждения, учит меня соцработник Татьяна. Она ходит к матери по вторникам и четвергам, приносит полезный маложирный кефир, заполняет тетрадь посещений фразой: «Состояние клиентки без изменений. Говорили о разном», — и уходит. В общем и целом минут пятнадцать в день. Полчаса в неделю.

Государство поддерживает старость кефиром и участием.

Я рассматриваю Татьяну в упор, не испытывая неловкости. У нее длинные, неухоженные волосы, секущиеся по всей длине, и пестрая кофта, подчеркивающая недостатки фигуры.

Татьяна опрометчиво примеряет мою ситуацию на себя, а мою маму — на свою, наверное, клинически положительную, вкусно пахнущую, с добрыми глазами и ощутимой любовью к дочери. Ситуация подчеркивает мои недостатки и тот факт, что я плохая дочь на фоне очень хорошей Татьяны.

Уважаемая Таня, соберите волосы в хвост, садитесь на диван, поговорите со мной «о разном». Мне есть что вам рассказать.

Про тягучий ад материнского террора. Про диктатуру ее эгоистичных решений. Про то, как исступленно она рушила мой брак, недовольная выбором партнера. Про то, как писала на меня заявление в полицию, чтобы отомстить за то, что я две недели ее не навещала, невзирая на причину — двустороннее воспаление легких, которую мать не посчитала уважительной. Еще надо продолжать?

В общей сложности я жила с мамой всего шесть лет из своих тридцати трех, но этого времени хватило с лихвой, чтобы понять, что иногда отсутствие матери в твоей жизни — это не наказание, а подарок судьбы. Я выросла в того, кем стала, не благодаря, а вопреки. И благодарю Бога за это «вопреки».

Я сбежала замуж при первой же возможности, что было расценено матерью как предательство и вызов. Мать приняла этот бой и исступленно мстила мне за это решение все годы моего брака. За тринадцать лет я обросла непробиваемой броней, стала почти невосприимчива к ее нападкам, но в качестве побочного эффекта разучилась говорить слово «мама». Теперь я обращаюсь к ней официально, по имени и отчеству. Мне так комфортно. Потому что для меня слово «мама» наполнено светом любви, а не энергией мстительной ненависти.

— Татьяна, знаете, говорите о разном, а об этом — не надо. Вы понятия не имеете, что стало предпосылкой моего такого скупого на нежные чувства отношения к матери. Но вы не вправе судить. Никто не вправе.

Татьяна поджимает губы и торопливо уходит. В ее глазах я стала еще хуже, а она сама — значительно лучше. Ну да бог с ней.

Сейчас, когда мама заболела, я стараюсь обеспечить ей должный уход: нанимаю сиделок, оплачиваю квартиру, покупаю продукты, решаю проблемы, приезжаю по возможности. Я делаю то, что должна. Но любить...

Откуда ей взяться, этой безжалостно растоптанной в свое время дочерней любви? Взрасти на жалости? Нет жалости — есть забота. Нет проблем — есть задачи.

Моя мать не хочет лечиться, не боится быть обузой, она хочет болеть и создавать вокруг своей болезни воронку сочувствия. Но это «волки, волки...».

Никто не верит давно в ее громогласные страдания. Ну разве что Татьяна, которую спасает непродолжительность знакомства с характером моей матери. Все же те, кто знает ее лучше, ближе, разошлись по своим жизням и захлопнули двери, чтобы не слышать. Я осталась одна. Ну как одна — с Олесей и мужиками, по ночам душащими мать подушками...

Мама хочет болеть, страдать и обременять, и я создаю ей условия для исполнения ее желаний. Пусть. А вдруг это последнее желание?

И мне плевать на осуждение поборников морали. Девять из десяти, столкнувшись с моей матерью, сбегают, сверкая пятками, и оттуда, с безопасного расстояния, дают обстоятельные советы по теоретическим основам любви к родителям. Бегите-бегите, учителя и судьи.

Я расплатилась с Валентиной, мы обнялись на прощанье, и я закрыла за ней дверь, заметив, что она перед уходом перекрестила меня.

Я пью не тронутый мамой «отравленный» чай с ромашкой, успокаиваюсь. На душе — смирение. Принятие.

Иду в комнату матери и спрашиваю, что ей принести: «Может, чай? Или поесть?»

— Я хочу жареной рыбы. Курить. И яблоко потертое с морковью.

— Все есть, кроме рыбы. Может, я пожарю тебе мясо вместо рыбы? — говорю я и протягиваю сигареты.

— Я же сказала, что хочу рыбы, — мать закуривает и выдыхает дым в меня, хотя знает про мою беременность. — Если тебе плевать на мои просьбы и сложно сходить за рыбой, так и скажи. Дочь называется.

Я иду на кухню жарить мясо и тереть яблоко.

ЕСТЬ ТАКИЕ ЛЮДИ — ИМ ВСЕ ПОДАЙ НА БЛЮДЕ!

ПНД

ПНД — это аббревиатура. Означает психоневрологический диспансер.

Большинство людей приходят сюда за справкой о том, что не состоят в диспансере на учете, тем самым подтверждая, что у них нет психической патологии и они могут, к примеру, водить машину, владеть оружием или быть допущенными до государственных тайн.

Моя мама состоит в ПНД на учете: она лежала в психиатрической больнице, и теперь это бюрократически зафиксированная часть ее биографии.

Как и большинство пациентов таких клиник, моя мама считает свое нахождение в той больнице случайностью, недоразумением и частью заговора против нее.

Для меня очевидно, что мама больна, потому что она видит то, чего нет. Для нее же очевидно, что больна я, потому что я этого не вижу.

Ее искаженная реальность не кажется ей таковой, наоборот, она считает ее единственно возможной, то есть населенной несуществующими злодеями, говорящими голубями и давно умершими родственниками, и ее это не смущает.

В период обманчивой и недлительной ремиссии мама тихая и вполне покладистая, но все остальное время у нее регулярные приступы агрессии, психозы, депрессивные настроения и спутанное сознание.

По факту она опасна: может причинить вред себе и окружающим, находясь в плену видений, спрутом патологий поработивших ее сознание.

Из-за этого заболевания матери не дают путевку в санаторий (от собеса).

Дело в том, что в санатории лечат остеохондроз пожилые люди с незамутненным сознанием, им не нужна злая и нервная соседка с причудами, и в этом их легко можно понять. Однако мама никого не собирается понимать. Она верит в то, что здорова и «не стоит ни на каком учете ни в каком ПНД».

Мама уверена, что я вру ей про диагнозы, чтобы заклеймить ее позором клейма «психичка», под покровом ночи придушить подушкой, а потом, гомерически хохоча в гостиной, завладеть всей жилплощадью и заселить ее своими детьми,

мужьями и любовниками, а также моими верными агентами — говорящими голубями.

Я закатываю глаза, но покорно соглашаюсь отвезти мать в ПНД, чтобы там ей официально отказали в выдаче справки о том, что она психически здорова.

Я просто водитель и сопровождающее лицо — отвезу и буду молчать, даже в кабинет не пойду, чтобы не быть причастной к тому, как врач из ПНД навлечет на себя пожизненное проклятье от моей матери за то, что озвучит ей ее диагноз.

Таким образом я отдаю свой дочерний долг. Правда, последние лет пятнадцать я часто спрашиваю себя: «Блин, сколько же я должна-то?» При этом совесть и постулаты воспитания, привитые в детстве (кстати, совсем не матерью), заставляют меня вести себя правильно и иногда даже самой поражаться лимиту собственного терпеливого благородства.

Мама нарядилась в красный пиджак и блузку со стразами. Она похожа на депутата и бандита из 90-х одновременно.

Выражение лица вдохновленное. Она, как в старые добрые времена, едет «все решать». Ей кажется, что она молодая, пробивная и всемогущая.

Далее все происходит ровно так, как я и ожидала. Мы вполне мирно доезжаем до ПНД, попадаем на прием к пожилой индифферентной докторице, прилежно зачитывающей матери ее диагнозы. В итоге у матери немедленно случается приступ. Она клянет докторицу на чем свет стоит, орет, что та слепая, раз не видит, что перед ней здоровый человек, докторша пытается выписать ей рецепт на антидепрессанты, но мать выхватывает у нее этот рецепт, рвет его и мстительно кидает в лицо несчастной врачихе, которая, также срываясь на крик как защитную реакцию, просит «немедленно покинуть ее кабинет».

Я все это вижу через закрытую дверь: аудиоряд вполне громок и подробен, домысливать ничего не приходится.

Наконец вулканически взбешенная мама вываливается в коридор, я вскакиваю и подхватываю ее под руку (второй рукой она опирается на костыль).

— Пойдем, — вздохнув, говорю я матери и киваю на дверь.

— Это ты, тварь, это все ты! Это ты упекла меня, здоровую, в больницу, это ты приехала сюда заранее и распихала всем взяток, чтоб меня записали в психи! Это ты! Ты убийца! Ты убиваешь мать! Люди, меня хотят уби-и-ить, — мать кричит, плачет, кликушничает, машет костылем и при этом все сильнее впивается в мою руку — единственную надежную опору.

Я иду с каменным лицом и лишь иногда приговариваю тихо: «Не кричи», «Осторожнее, ступенька» и «Ч-ч-ч», — пытаясь притушить градус ее агрессии.

Мы движемся критично медленно: матери сложно ходить самостоятельно, она привыкла к коляске. Плюс сам приступ скорости, конечно, не добавляет.

В коридоре полно людей. Они ждут своих справок или освидетельствования, и им скучно.

Мать, изрыгающая проклятья в адрес дочери, — отличное развлечение. «Пусть говорят» в прямом эфире, только без ведущего. Зрители смотрят с удовольствием, глаз не отводят.

Процессия у нас, конечно, колоритная.

Я в роли второго костыля, раздувшаяся от девятимесячной беременности и усиленно изображающая пофигизм, и мать, поливающая меня матом, которая сама по себе среди обшарпанных стен ПНД в своем депутатском праздничном красном пиджаке, всклокоченная, вспученная выглядит как конферансье «Мулен Руж».

Наверное, не будь я участником этой сценки, я бы тоже, не справившись с нездоровым любопытством, смотрела бы этот спектакль из зрительного зала ободранных банкеток ПНД.

Тут я замечаю, что некоторые люди не постеснялись в этот момент достать телефоны и с увлечением снимать эту сцену.

Сквозь стыд я испытываю недоумение: «Зачем они это делают?» Нет, мне правда интересно. Мне хочется выпустить мамину руку, подойти к ним и спросить: «Для чего? Зачем вам в ваших личных телефонах видеоотчет о чужой семейной трагедии? Вы будете это пересматривать? Показывать кому-то, чтобы развлечь? Зальете на «Ютьюб» с подписью „Сумасшедшие в ПНД, смотреть до конца“? Зачем это нужно: ради популярности или потому, что вы вообще не видите, не чувствуете границ воспитания? Неужели совсем нет каких-то внутренних весов „хорошо-плохо“ или „можно-нельзя“?»

Как по мне, так это подло. И немножко мерзко. И совершенно бессовестно. Гадкий такой, непорядочный вуайеризм[1].

Мне хочется влезть на банкетку и сказать: «Понимаете, ребят, жизнь — она ж бумеранг. И в ваших шкафах также живут скелеты. Возможно, они даже страшнее моих. И когда кто-нибудь бестактно ста-

---

[1] Вуайеризм представляет собой психическое расстройство человека. Проявляется в получении сексуального удовольствия путем подглядывания за половым актом. — *Прим. ред.*

нет снимать на телефон ваши скелеты, а вы станете плавиться от стыда и безуспешно закрываться ладошками от безжалостных лучей чужого бессовестного любопытства, вот тогда, возможно, вы вспомните меня, идущую сквозь строй, с опущенной головой и свисающими волосами, в которые я прячусь от ваших глаз. И это заставит вас ощутить укол совести и, повинуясь незнакомому ранее щемящему сочувствию, опустить свой телефон. Но это только тогда. А сегодня...

Снимайте ради бога! На арене «Арлекино! Арлекино! Нужно быть смешным для всех!..».

Мы с матерью медленно, но успешно минуем коридор и подходим к двери.

Высокая девушка лет двадцати пяти в кожаной куртке идет за нами, не прекращая съемку: я ощущаю нацеленный нам в спину оптический прицел ее айфона. Я теряю самообладание и уже у дверей не выдерживаю, оборачиваюсь.

— Моя мать больна, девушка. И это, понятно, вызывает ваш интерес. Но и вы, девушка, больны. Только в моей матери отсутствует разум. А в вас — совесть. И, видит Бог, я не знаю, что страшнее...

Лицемерно-приветливо я улыбаюсь на прощание, а девушка отводит глаза и опускает телефон...

Посвящение

В этой книге в самом начале есть очень много благодарностей.

Я искренне говорю спасибо всем, кто меня вдохновлял.

Но главное, кому посвящается эта книга, — это моя мама.

Без которой не было бы ни меня, ни этих прозрений, ни этой книги.

Спасибо тебе, мама.

Прости меня, пожалуйста, если сможешь.

Мне кажется, там, где ты сейчас, ты видишь меня.

И пишешь эту книгу вместе со мной, и читаешь, и понимаешь, и прощаешь.

Потому что от осинки не родятся апельсинки...

Послесловие. Послевкусие

Если вы прочли эту книгу, значит мы почти родственники.

Вы знаете обо мне все.

Вы будто пришли ко мне домой и распахнули дверцы всех шкафов, а оттуда на ваши макушки стали падать мои скелеты.

Теперь я стою посреди моих осыпавшихся тайн, вот такая, без прикрас, и очень переживаю: «Надеюсь, вам было со мной не скучно?»

Пока я писала эти рассказы, я взрослела. Не в том смысле, что затянула написание по времени, а в смысле, что взрослела моя душа.

Я понимала, зачем я это делаю. В смысле, обнажаюсь перед незнакомыми людьми, раскрывая душу. Потому что я их больше не боюсь, а раньше боялась.

Страшилась осуждения и не оправдать чьих-то ожиданий. Я жила в этом ощущении — что я их не оправдываю — большую часть своей жизни.

Мне понадобилось тридцать лет на то, чтобы понять, что со всеми все нормально. **НИКТО И НЕ ДОЛЖЕН НИЧЕГО ОПРАВДЫВАТЬ.**

Я не оправдала мамины ожидания, она — мои.

На самом деле мы и не должны были этого делать, понимаете? Это прозрение помогло мне оглянуться вокруг и понять, что со всеми все нормально. Везде.

Если же люди и совершают поступки, которые в моей системе координат трактованы как «плохие» и «недостойные», то они имеют на это право. Потому что у каждого своя система координат, сформированная детством, воспитанием и условиями жизни.

У моей мамы, вот такой, какая она есть, родилась именно я, такая, какой я стала, а из Олечки не могла вырасти другая Ольга.

Яблочко от яблони. От осинки не родятся апельсинки.

Вот о чем моя книга.

И когда я все это осознала, глубинно, остро, до мурашек, я не просто простила маму и себя. Я полюбила. Всем сердцем. Маму и себя.

Мое сердце мгновенно наполнилось благодарностью. Буквально до краев. Благодарностью теплой, как море, соленой от слез прощения и принятия.

* * *

Мамы не стало полтора года назад.

Мне некому уже рассказать о том, что у меня на сердце и как мне хорошо от того, что я выпустила на волю все свои обиды.

То есть как некому? А вы? Вам, можно я вам об этом расскажу?

Вдруг вам еще не поздно? Вдруг ваши мамы, неидеальные, не оправдывающие ваших ожиданий, еще ждут ваших объятий?

Просто...

Понимаете, мам надо учиться любить. С элементами безусловности. Даже если нам кажется, что они этого недостойны, их все равно нужно любить. Ради себя. Потому что мы достойны любви и прощения.

ПОЛЮБИТЬ ЖЕ СЕБЯ МОЖНО,
ЛИШЬ ВЫЧИСТИВ ИЗ ДУШИ ПЛЕСЕНЬ ОБИД.

Со всеми все нормально, помните? И с мамой в том числе.

Она просто такая. Вот такая. Неидеальная.

Но она же и не должна, помните? Не должна быть идеальной.

Давайте ей разрешим быть такой. Ведь у нее же своя система координат, в которой она нормальная. И это прекрасно.

И ты нормальная. То, что ты чувствуешь, это нормально.

Даже если это больно. Стыдно. Обидно. Это все равно нормально.

Но это тебя якорит. И ты можешь и дальше жить с этим якорем.

Но ты же хочешь, чтобы было не больно? И не стыдно?

Тогда... Тогда надо прощать.

Как? Очень просто. По щелчку. Р-Р-РАЗ — и простил.

Не можешь? Неправда. Не подменяй понятий.

Ты не хочешь — это другое.

Хранить обиду, холить и лелеять выгодно.

Пока ты обижен, ты пострадавший.

Ты нуждаешься в жалости и защите.

И это тоже нормально.

Не прощай, если не готов.

Но если в один из дней маленькая (поставь здесь свое имя с уменьшительно-ласкательным суффиксом), например Олечка, проснется и поймет, что не хочет больше быть пострадавшей, а хочет быть хозяйкой ситуации, автором своей жизни, вот тогда и случится твой Р-Р-РАЗ. И простил. И здравствуй, новая мудрая (поставь здесь свое полное имя), например Ольга.

Ну как ты? Здорово?

Что это? Это легкость. Это энергия.

Откуда она?

Обида сжирала очень много энергии. Теперь ее нет. В смысле нет обиды. А энергия есть. Потрать ее теперь на что-то классное.

На любовь. На счастье. На новый проект.

Хочется летать, помнишь? И петь. Ну давай споем.

Вот это давай, вместе, три-четыре...

Пусть мама услышит, пусть мама придет, пусть мама меня непременно найдет...

Не плачь. Это нормально, что ты плачешь. Но это другие слезы. Соленые, но не горькие. Освобождающие.

...Ведь так не бывает на свете. Чтоб были потеряны дети.

Однажды в интернате для детей, оставшихся без попечения родителей, который я курировала, одной девочке, Маше, нашли новых родителей.

Вообще-то это замечательная новость.

Машина настоящая мама сидела в тюрьме все Машино детство, и ей еще долго предстояло сидеть, поэтому Маша росла в интернате, и ей нашли приемных родителей.

Когда заведующая сообщила девочке эту радостную весть, Маша встретила ее с недоумением.

— Зачем мне новая мама? — спросила она, не скрывая своего негодования. — У меня же есть мама...

— Да, Машенька, есть, но она же далеко...

— Ну и что? Она же не умерла. Я скоро вырасту, смогу зарабатывать и буду маме в тюрьму носить апельсины, потому что у них там, в тюрьме, плохо с фруктами...

— Но это случится так не скоро...

— Я живу в интернате. Поверьте, я умею ждать, — отрезала Маша и отказалась от удочерения.

Я к тому, что любовь к детям у матерей безусловная. Но и обратно это тоже работает. Просто очень сложно не впускать в свою безусловность логику и здравый смысл, субъективную оценку чужих поступков.

ОЧЕНЬ СЛОЖНО НЕ ОЦЕНИВАТЬ ЖИЗНЬ ДРУГИХ ЛЮДЕЙ НЕ ЧЕРЕЗ ПРИЗМУ СВОЕЙ СИСТЕМЫ КООРДИНАТ.

Когда же это случится и у тебя получится, это означает одно. Ты взял на себя ответственность за свою жизнь — сел за руль.

Впереди длинный и осознанный путь.

И каким он будет, зависит только от тебя.

Благодарности

Спасибо моим детям, Даниле и Екатерине, за то, что вы мои неиссякающие источники энергии, ради которых так хочется быть хорошей мамой.

Спасибо моему мужу Володько Михаилу за веру в меня и мой талант.

Спасибо моим свекру Михаилу Николаевичу и свекрови Ирине Борисовне за то, что любите своих внуков и проводите с ними много времени (благодаря чему я и написала эту книгу).

Спасибо всем, кто мучил меня вопросами: «Ну, когда же выйдет твоя книга?» Без вас я бы точно ее еще сто лет писала.

Спасибо всем, кто захочет купить и прочитать эту книгу. Если бы вы знали, как я волнуюсь, понравится она вам или нет, вы бы купили сразу две.

Спасибо всем читателям моего блога. Без вашей поддержки я бы никогда не решилась на эту публичность.

Ваша Попутчица

Все права защищены. Книга или любая ее часть не может быть скопирована, воспроизведена в электронной или механической форме, в виде фотокопии, записи в память ЭВМ, репродукции или каким-либо иным способом, а также использована в любой информационной системе без получения разрешения от издателя. Копирование, воспроизведение и иное использование книги или ее части без согласия издателя является незаконным и влечет уголовную, административную и гражданскую ответственность.

Научно-популярное издание
ғылыми-бұқаралық баспа

ЗАПИСКИ РОССИЙСКИХ БЛОГЕРОВ

Савельева Ольга Александровна

АПЕЛЬСИНКИ

ЧЕСТНАЯ ИСТОРИЯ ОДНОГО ВЗРОСЛЕНИЯ

Директор редакции *Е. Капьёв*
Руководитель направления *Т. Решетник*
Ответственный редактор *Н. Румянцева*
Младший редактор *О. Степанянц*
Художественный редактор *В. Давлетбаева*
Технический редактор *О. Куликова*
Компьютерная верстка *Л. Кузьминова*
Корректор *М. Козлова*

ООО «Издательство «Э»
123308, Москва, ул. Зорге, д. 1. Тел. 8 (495) 411-68-86.

Өндіруші: «Э» АҚБ Баспасы, 123308, Мәскеу, Ресей, Зорге көшесі, 1 үй.
Тел. 8 (495) 411-68-86.
Тауар белгісі: «Э»
Қазақстан Республикасында дистрибьютор және өнім бойынша арыз-талаптарды қабылдаушының өкілі «РДЦ-Алматы» ЖШС, Алматы қ., Домбровский көш., 3«а», литер Б, офис 1.
Тел.: 8 (727) 251-59-89/90/91/92, факс: 8 (727) 251 58 12 вн. 107.
Өнімнің жарамдылық мерзімі шектелмеген.
Сертификация туралы ақпарат сайтта Өндіруші «Э»

Сведения о подтверждении соответствия издания согласно законодательству РФ о техническом регулировании можно получить на сайте Издательства «Э»

Өндірген мемлекет: Ресей
Сертификация қарастырылмаған

Подписано в печать 01.09.2017. Формат 75x108 $^{1}/_{32}$.
Гарнитура «Minion Pro». Печать офсетная. Усл. печ. л. 10,5.
Доп. тираж 3000 экз. Заказ Т-892.

Отпечатано в полном соответствии с качеством предоставленного электронного оригинал-макета в типографии филиала АО «ТАТМЕДИА» «ПИК «Идел-Пресс».
420066, г. Казань, ул. Декабристов, 2.

ISBN 978-5-699-95735-4

Оптовая торговля книгами Издательства «Э»:
142700, Московская обл., Ленинский р-н, г. Видное,
Белокаменное ш., д. 1, многоканальный тел.: 411-50-74.

По вопросам приобретения книг Издательства «Э» зарубежными оптовыми покупателями обращаться в отдел зарубежных продаж
International Sales: International wholesale customers should contact Foreign Sales Department for their orders.

По вопросам заказа книг корпоративным клиентам, в том числе в специальном оформлении, *обращаться по тел.: +7 (495) 411-68-59, доб. 2261.*

Оптовая торговля бумажно-беловыми и канцелярскими товарами для школы и офиса:
142702, Московская обл., Ленинский р-н, г. Видное-2,
Белокаменное ш., д. 1, а/я 5. Тел./факс: +7 (495) 745-28-87 (многоканальный).

Полный ассортимент книг издательства для оптовых покупателей:
Москва. Адрес: 142701, Московская область, Ленинский р-н,
г. Видное, Белокаменное шоссе, д. 1. Телефон: +7 (495) 411-50-74.
Нижний Новгород. Филиал в Нижнем Новгороде. Адрес: 603094,
г. Нижний Новгород, улица Карпинского, дом 29, бизнес-парк «Грин Плаза».
Телефон: +7 (831) 216-15-91 (92, 93, 94).
Санкт-Петербург. ООО «СЗКО». Адрес: 192029, г. Санкт-Петербург, пр. Обуховской Обороны,
д. 84, лит. «Е». Телефон: +7 (812) 365-46-03 / 04. **E-mail:** server@szko.ru
Екатеринбург. Филиал в г. Екатеринбурге. Адрес: 620024,
г. Екатеринбург, ул. Новинская, д. 2щ. Телефон: +7 (343) 272-72-01 (02/03/04/05/06/08).
Самара. Филиал в г. Самаре. Адрес: 443052, г. Самара, пр-т Кирова, д. 75/1, лит. «Е».
Телефон: +7 (846) 269-66-70 (71...73). **E-mail:** RDC-samara@mail.ru
Ростов-на-Дону. Филиал в г. Ростове-на-Дону. Адрес: 344023,
г. Ростов-на-Дону, ул. Страны Советов, 44 А. Телефон: +7(863) 303-62-10.
Центр оптово-розничных продаж Cash&Carry в г. Ростове-на-Дону. Адрес: 344023,
г. Ростов-на-Дону, ул. Страны Советов, д.44 В. Телефон: (863) 303-62-10. Режим работы: с 9-00 до 19-00.
Новосибирск. Филиал в г. Новосибирске. Адрес: 630015,
г. Новосибирск, Комбинатский пер., д. 3. Телефон: +7(383) 289-91-42.
Хабаровск. Филиал РДЦ Новосибирск в Хабаровске. Адрес: 680000, г. Хабаровск,
пер.Дзержинского, д.24, литера Б, офис 1. Телефон: +7(4212) 910-120.
Тюмень. Филиал в г. Тюмени. Центр оптово-розничных продаж Cash&Carry в г. Тюмени.
Адрес: 625022, г. Тюмень, ул. Алебашевская, 9А (ТЦ Перестройка+).
Телефон: +7 (3452) 21-53-96/ 97/ 98.
Краснодар. Обособленное подразделение в г. Краснодаре
Центр оптово-розничных продаж Cash&Carry в г. Краснодаре
Адрес: 350018, г. Краснодар, ул. Сормовская, д. 7, лит. «Г». Телефон: (861) 234-43-01(02).
Республика Беларусь. Центр оптово-розничных продаж Cash&Carry в г.Минске. Адрес: 220014,
Республика Беларусь, г. Минск, проспект Жукова, 44, пом. 1-17, ТЦ «Outleto».
Телефон: +375 17 251-40-23; +375 44 581-81-92. Режим работы: с 10-00 до 22-00.
Казахстан. РДЦ Алматы. Адрес: 050039, г. Алматы, ул.Домбровского, 3 «А».
Телефон: +7 (727) 251-58-12, 251-59-90 (91,92,99).
Украина. ООО «Форс Украина». Адрес: 04073, г.Киев, Московский пр-т, д.9.
Телефон: +38 (044) 290-99-44. **E-mail:** sales@forsukraine.com

Полный ассортимент продукции Издательства «Э» можно приобрести в магазинах «Новый книжный» и «Читай-город».
Телефон единой справочной: 8 (800) 444-8-444. Звонок по России бесплатный.

В Санкт-Петербурге: в магазине «Парк Культуры и Чтения БУКВОЕД», Невский пр-т, д.46.
Тел.: +7(812)601-0-601, www.bookvoed.ru

Розничная продажа книг с доставкой по всему миру. Тел.: +7 (495) 745-89-14.

В электронном виде книги издательства вы можете купить на www.litres.ru

ЛитРес:
один клик до книг